LA PRIÈRE SECRÈTE DE JÉSUS

DE JÉSUS

LES ESSÉNIENS RÉVÈLENT L'ÉSOTÉRISME DU *NOTRE PÈRE*

Editions Cœur de Phénix

345 Chemin Brochu, Cookshire, Qc, J0B 1M0

Tel. 819 875 1875 Courriel : info@essentiel.ca

Dépot légal :
ISBN 978-2-923524-72-6

Diffusion : Prologue

La prière secrète de Jésus ©Olivier Manitara 2010
www.OlivierManitara.org

Imprimé au Canada.

SOMMAIRE

PREFACE

par Suzette Kurtness
conférencière et enseignante

Je suis née sur les rives du lac Saint-Jean,
dans la communauté autochtone de Mash-
teuiatsh. Mes parents nous ont éduqués
dans la religion catholique, qui était chère
à leur cœur. Ma mère nous a transmis cet
idéal chrétien de donner sans compter. Mon
père était chef de bande, et il nous a naturel-
lement transmis ce sentiment d'être respon-
sables de la communauté et de prendre soin
de tous. Ils nous ont également encouragés à
poursuivre des études, ce qui m'a permis de
devenir enseignante puis directrice d'école.
J'ai à mon tour eu des enfants et mon mari
et moi avons décidé de devenir famille d'ac-
cueil pour des enfants et adolescents de la
communauté, mettant en pratique les valeurs fortes transmises par mes parents.
J'ai eu des épreuves (comme la perte d'un en-
fant), mais aussi de grandes réussites. Peu à

peu, ma vie a pris une direction toute tracée et j'ai eu la chance d'aller au bout de tous mes rêves : j'étais heureuse dans mon mariage, avais une famille, une grande et belle maison, je faisais des voyages et avais réussi ma carrière.

Tout au long de ces années, je n'avais jamais oublié une chose que ma mère m'avait enseignée : l'importance de la prière. Je priais pour untel qui était malade, pour tel autre qui avait perdu son emploi, tout en priant aussi pour ma famille, pour moi, pour mon confort physique et matériel. Pourtant, même si le ciel répondait à toutes mes demandes, même si tous mes souhaits étaient exaucés, je ressentais un grand vide.

Et la question que je portais en moi depuis toujours a fini par rejaillir avec force : Que suis-je venue faire sur terre ?

Comme tant d'autres, j'ai entamé une recherche spirituelle, dont beaucoup de pistes ne m'ont pas satisfaite... jusqu'à ce jour d'automne de 2007 où j'ai rencontré Olivier Manitara. Dès l'instant où il a commencé à parler, quelque chose a résonné en moi : j'ai eu la certitude que ses paroles provenaient d'une intelligence supérieure. Il répondait à tant de questions que je me posais ! Au cours de cette première rencontre, j'ai pratiqué des rites, des chants et des danses sacrés. J'ai ressenti en moi comme l'ouverture d'une porte, une nouvelle énergie qui entrait dans ma vie.

Olivier Manitara et Suzette Kurtness
au Village Esssénien de Cookshire, Août 2010

Je pensais bien connaître la prière de Jésus, le Notre Père. Je l'avais récitée tant de fois ! Je l'avais méditée, j'avais essayé de l'appliquer dans ma vie et même de la transmettre.

Mais lorsque Olivier Manitara en a parlé, il l'a mise en relation avec les règnes de la nature, notre Mère. Alors, pour la première fois, j'ai compris qu'elle parlait de ce dont nous, les Amérindiens, nous parlons dans nos discours politiques : la Mère-Terre. Je me rendais compte que la prière de Jésus était en fait restée secrète, même pour moi qui l'avais tant aimée. Un nouvel horizon s'est ouvert dans mon ciel et depuis je ne cesse d'explorer cet enseignement magnifique qu'Olivier nous donne et que je transmets à mon tour. C'est la raison d'être de ce livre, préparé à partir de ses conférences.

Grâce à la prière de Jésus, je vis aujourd'hui ma vie matérielle en union avec ma vie spirituelle. La prière secrète de Jésus m'a ouvert le chemin qui mène à la vie belle et harmonieuse. Moi à qui la vie a tant donné et tant appris, j'ai un souhait très cher : que tous ceux et celles qui ont soif de beauté et d'harmonie puissent trouver dans le Notre Père le chemin de la plénitude.

I

REDÉCOUVRIR
JÉSUS L'ESSÉNIEN

La Sagesse essénienne enseigne que Jésus n'était pas le personnage décrit aujourd'hui par les religieux. La découverte des manuscrits de la mer Morte (à partir de 1947) a montré que de nombreuses paroles prononcées par Jésus et citées dans les Evangiles étaient en fait plus anciennes que lui. Cela signifie qu'elles n'ont pas été créées par lui mais qu'il les avait apprises.

La découverte des manuscrits de la mer Morte a été une véritable bombe. Les chercheurs du monde entier, quelle que soit leur confession, ne pouvaient nier l'évidence : Jésus citait des textes plus anciens que lui, d'origine essénienne ou autre. Il avait donc étudié et ce, en plusieurs langues. Il connaissait le grec et les auteurs classiques de l'époque. De plus, il a beaucoup voyagé. Il ne fait aucun doute que les communautés esséniennes étaient implantées jusqu'en Egypte, où la sagesse ancestrale des temples continuait d'être étudiée, et que Jésus les a visitées et a alors été mis en contact avec des cultures et des religions différentes. Jésus n'était donc pas le simple fils de charpentier que les Eglises décrivent. C'était un lettré, une personne très éduquée.

De nombreux manuscrits contiennent des récits de la vie de Jésus, des paroles inconnues des Evangiles. Certains textes ont été identifiés comme ceux d'autres apôtres comme Thomas ou Philippe, et apportent un éclairage nouveau sur Jésus, sa vie et son enseignement. Depuis cette découverte, de nombreux chercheurs sincères ont tenté de tracer un portrait plus réaliste de Jésus, à mieux connaître l'homme, sa vie et son milieu.

UNE AUTRE VISION DE JÉSUS

La découverte des manuscrits de la mer Morte a prouvé qu'il existait une tradition spirituelle et mystique dans laquelle Jésus baignait. Si cette tradition est si peu connue aujourd'hui, c'est parce que, pendant des siècles, les autorités religieuses ont sans relâche détruit ses manuscrits et assassiné ses érudits. Les Esséniens sont peu à peu devenus une sorte de mystère. Les manuscrits de la mer Morte ont été découverts au milieu du vingtième siècle, à une époque où les nouvelles faisaient déjà le tour du monde. Il fut impossible pour l'Eglise de les cacher ou de les détruire, comme elle l'avait fait pendant si longtemps. Même si l'on connaissait l'existence des Esséniens par quelques témoignages, ces manuscrits en ont apporté une vision totalement nouvelle.

JÉSUS, MAÎTRE ESSÉNIEN

Même si ces découvertes sont absolument fascinantes et peuvent ouvrir l'esprit de beaucoup de personnes dans le monde, la Tradition essénienne se situe au-delà des découvertes et des controverses. Elle conserve le souvenir, la mémoire de ce grand Maître essénien qui s'est incarné il y a deux mille ans.

Un Maître essénien incarne pleinement sa tradition. C'est un être qui est formé par elle, l'héritier d'une lignée ancestrale. Même s'il est la manifestation de la Tradition actualisée dans le présent, il ne reçoit pas un éclair de révélation divine sans lien avec le passé. Le Maître Jésus ne fait pas exception à la règle : il est un fruit sur l'arbre de la Tradition. Cela le rend-il moins méritant et moins intéressant ?

Il est dit dans la Bible que Jésus naquit à Nazareth et était appelé 'le Nazaréen'. Or on sait aujourd'hui que le village de Palestine qui s'appelle Nazareth n'a aucune réalité archéologique et a été nommé ainsi pour répondre à la demande des pèlerins en Terre sainte frustrés de ne pouvoir se rendre dans le village de naissance du Christ. 'Nazaréen' est en fait un synonyme du mot 'Essénien'.

JÉSUS, UN ÉRUDIT

De nombreux passages des Evangiles sont totalement incompréhensibles si l'on ignore le contexte culturel dans lequel Jésus grandit et vécut. C'est pour cette raison que de nombreuses personnes se sont détournées de la religion, trouvant son propos peu cohérent.

Dans le célèbre passage de la femme adultère (Jean 8:1-11), il est dit que Jésus écrivait sur le sol. Il savait donc écrire, et d'ailleurs, un docteur de la Loi discutant de théologie avec lui l'appelle 'Maître' (Luc 10:25). Pourquoi un docteur de la Loi hébraïque parlerait-il avec un ignorant ? Et pourquoi l'appellerait-il 'Maître' s'il ne le considérait pas comme un érudit de niveau au moins égal ?

Nous, les Esséniens, nous avons sur la Bible, les Evangiles et les paroles de Jésus un regard très différent de celui des religieux. Nous savons que Jésus était un grand Maître, un initié et que ses paroles étaient emplies d'un sens basé sur des connaissances enseignées dans des Ecoles initiatiques réservées à une élite. Ces connaissances étaient de plus vécues en lien avec la nature. Elles nécessitaient une méditation, une étude attentive, une expérimentation intérieure pour être comprises. Jésus donnait même à ses plus proches disciples un enseignement beaucoup plus profond et vaste que celui qu'il révélait à la foule : « *C'est à vous qu'a été donné le mystère du royaume de Dieu ; mais pour ceux qui sont dehors, tout se passe en paraboles* » (Marc 4:11)

NE PAS METTRE JÉSUS EN BOÎTE

Il peut être intéressant de réfléchir à cette idée : Jésus lui-même n'était pas un 'chrétien'. Il n'avait en fait rien à voir avec les religions chrétiennes qui se sont formées peu à peu après sa mort. Bien sûr, les chrétiens ont créé une certaine image de Jésus et se sont tellement appropriés son message et sa vie qu'il est difficile de séparer Jésus des religions chrétiennes.

Mais si tu veux t'approcher du secret de la prière de Jésus, il est important de pouvoir accepter l'idée que le message transmis par les chrétiens est très différent de ce que Jésus a réellement enseigné.

En tant qu'Essénien, Jésus s'intéressait au Divin en toute chose, en tout être. Il était ouvert à 360 degrés sur le monde, et ne se limitait en aucun cas à une seule tradition, une seule religion. Seule la grande Tradition, qui s'exprime à travers les multiples traditions, l'intéressait.

Moderne veut-il dire plus intelligent ?

Pour s'approcher de la méthode de prière de Jésus, il faut poser sur lui un nouveau regard. Il faut une grande ouverture d'esprit, prendre du recul par rapport à ce que l'on considère comme 'le progrès'. En effet, le monde dans lequel nous vivons entretient cette idée que notre monde progresse sans cesse, que nous évoluons. Lorsque nous pensons au passé, qu'on le veuille ou non, nous sommes habités par un sentiment de supériorité, de fausse compassion. Cette vision est très forte et beaucoup plus puissante qu'on peut le penser.

Je te donne un exemple : pense à Jésus. N'imagines-tu pas un homme pauvre, habillé de guenilles, les cheveux sales, le fils d'un charpentier qui ne sait même pas que la terre est ronde ? En fait, l'époque où il vivait connaissait une grande effervescence intellectuelle. La Palestine, qui comprenait de nombreux groupes culturels, était en outre un véritable carrefour exposé à des influences venant autant de l'est que de l'ouest, du nord que du sud. Par exemple, on pouvait y croiser des Egyptiens comme des Celtes, des Romains, des Perses ou même des

Indiens. Un grand nombre de manuscrits (de philosophie, de mathématiques, d'astronomie, de médecine, de musique, etc.) circulait. Des érudits parcouraient de longues distances pour partager leur science et répandre leur savoir. Bien sûr, il ne reste aujourd'hui que peu de vestiges, d'objets incarnant cette réalité, ce monde, ces vies. Cela veut-il dire que tous les hommes vivaient dans l'ignorance ?

DÉPOUSSIÈRE TA PENSÉE

Le Maître Jésus a donné au monde des paroles d'une infinie sagesse, des paroles qui traversent les temps, aussi vraies hier qu'aujourd'hui. Parmi toutes ces paroles, la prière du *Notre Père* est remarquable, même si la religion a réduit à l'extrême son extraordinaire sagesse, cachant toute sa science sous une épaisse couche de poussière.

Il a donné sa méthode de prière à tous les hommes, comme une bénédiction, un héritage sacré. Chacun de nous peut s'en saisir pour le faire fructifier et prospérer dans sa vie. Quelle que soit notre religion ou tradition, nous pouvons nous intéresser à la prière secrète de Jésus et l'étudier. Pour apprendre, il faut observer sans a priori, sans idées préconçues.

Si tu veux entrer dans la sagesse essénienne du *Notre Père*, tu dois essayer, de poser un regard neuf sur Jésus et sur sa prière. Ainsi tu pourras peut-être percevoir, ressentir la grande et belle Lumière qui se tient derrière les paroles du *Notre Père*.

Sache pourtant que les explications que tu vas découvrir ici ne sont que le commencement du chemin du *Notre Père*. Elles sont comme une lueur, la fin de la nuit noire, les prémices de l'aube.

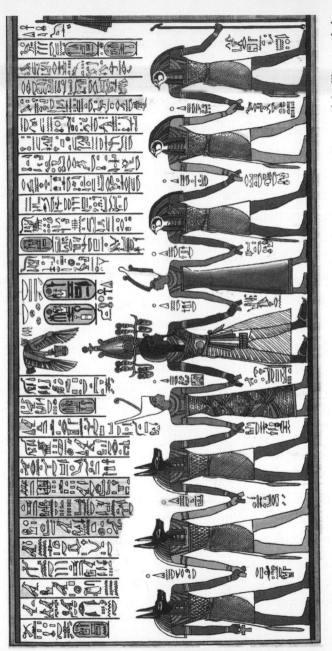

Les plus grands secrets de l'initiation égyptienne ont été transmis à Jésus lors de ses séjours en Egypte. Il fut l'hériter de la science sacrée de Pharaon. (Détail d'un papyrus égyptien présentant l'enseignement contenu dans le *Notre Père*).

LE SENS CACHÉ
DU *NOTRE PÈRE*

De toutes les prières du monde, le *Notre Père* est l'une des plus connues, sinon la plus connue. Chaque jour, des millions de chrétiens dans le monde la récitent avec ferveur, dévotion et espérance. Pourtant, le *Notre Père* demeure un secret.

D'où vient le *Notre Père* ? D'un partage de Jésus avec ses amis, ses frères esséniens, ses élèves. Le voyant souvent prier, méditer seul, à l'écart, ils lui demandèrent un jour de leur enseigner sa méthode, une prière efficace pour s'unir au Divin (Matthieu 6:9-13 et Luc 11:1-4). Il leur a ouvert les portes de sa vie intérieure en révélant les mots qu'il employait lui-même pour prier.

UNE CLÉ, UNE SERRURE

Le *Notre Père* est une clé. Il contient l'essentiel de l'enseignement de Jésus. C'est un condensé, un bijou dont chaque élément contient une immense sagesse. Il décrit l'architecture de l'univers et de l'homme, du macrocosme et du microcosme.

Le *Notre Père* est la prière secrète de Jésus. Pourquoi 'secrète' ? Parce que « la lettre tue, seul l'esprit vivifie ». Sans explications, l'essentiel du *Notre Père* reste secret, fermé. Oui, si l'on s'arrête aux mots, le *Notre Père* n'est qu'une clé sans serrure. Quelle est la serrure du *Notre Père* ? C'est toi, ta vie intérieure, ton étude, ta pratique, l'intérêt que tu vas porter au trésor que Jésus nous a donné.

LE GOÛT DE L'ORANGE

Jésus a-t-il vraiment caché des secrets dans la seule prière qu'il ait transmise ? Pourquoi ne pas les avoir directement révélés ? Tout simplement parce qu'il est impossible de comprendre sans vivre. Si Jésus avait voulu parler du goût de l'orange, comment aurait-il pu faire ? Ses disciples lui aurait demandé : « Maître, quel goût a l'orange que tu manges ? » Il leur aurait sûrement tendu un quartier d'orange pour qu'ils puissent par eux-mêmes la goûter, en faire l'expérience.

Nous disons que le *Notre Père* est la prière secrète de Jésus car il faut la goûter soi-même pour en connaître toutes les dimensions, les sens véritables. Vas-tu te contenter d'explications ? Vas-tu te contenter de descriptions ? Des bibliothèques entières ne suffiraient pas à remplacer l'expérience directe que tu pourrais faire en goûtant toi-même une orange.

C'est pour cette raison que Jésus a dit : *« Je te loue, Père, de ce que tu as caché ces choses aux sages et aux intelligents, et de ce que tu les as révélées aux enfants. »* (Luc 10:21) Les 'sages' et les 'intelligents' sont ceux qui cherchent le savoir uniquement dans les livres, les études scientifiques, les écoles de toutes sortes. Les 'enfants' sont ceux qui acceptent de s'ouvrir à de nouvelles expériences et qui avancent, curieux, libres de peurs.

Une expérience globale

La Sagesse essénienne s'intéresse à tous les aspects de l'homme, son corps, son âme, son esprit. La prière du *Notre Père* ne peut pas être comprise ou approchée par une étude seulement intellectuelle ou par une simple oraison du cœur. Il faut utiliser toutes les parties de son être pour s'en approcher réellement.

C'est ce que proposent les Essénien d'aujourd'hui : une méthode globale, un enseignement vivant où chacun peut faire l'expérience du *Notre Père* et ainsi accéder à l'état de conscience qu'avait Jésus lorsqu'il a transmis cette prière.

Cette méthode commence par l'étude, la compréhension. Elle inclut des pratiques individuelles et collectives de méditation, des mouvements sacrés, des chants, des danses et, bien sûr, la récitation. Dans tous ces aspects, la conscience et l'éveil sont des éléments fondamentaux.

Chaque méthode est comme une façon de voir le *Notre Père*, un point de vue sur la prière secrète de Jésus.

Nous allons maintenant aborder quelques-uns des aspects de la science contenue dans le *Notre Père*. Mais n'oublie pas qu'il ne s'agit là que d'une approche extérieure et que seule l'expérience intérieure pourra te faire pénétrer au cœur du secret de la prière de Jésus...

III

UN NOUVEAU MONDE

L'une des premières choses que l'on remarque lorsqu'on étudie la prière secrète de Jésus est la structure de cette prière.

Les trois premières paroles concernent le monde divin : *que ton Nom soit sanctifié, que ton règne vienne, que ta volonté soit faite.* C'est l'homme qui s'adresse au monde supérieur, une parole qui vient du monde d'en bas et qui s'élève (fig. 1).

Les quatre paroles suivantes concernent le monde des hommes : *donne le pain quo-*

tidien, *pardonne les offenses, ne nous soumets pas à la tentation, délivre-nous du mal.* C'est l'homme qui demande, qui est concerné par son monde et souhaite l'emplir de la présence divine (fig. 2).

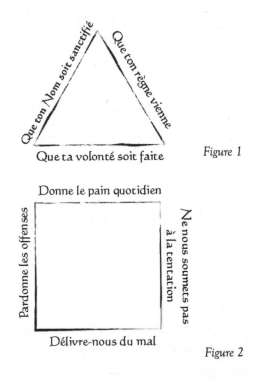

Que ton Nom soit sanctifié

Que ton règne vienne

Que ta volonté soit faite

Figure 1

Donne le pain quotidien

Pardonne les offenses

Ne nous soumets pas à la tentation

Délivre-nous du mal

Figure 2

Le *Notre Père* dessine la maison de l'homme, les deux mondes dont il est l'intermédiaire. On voit bien qu'il est constitué du monde visible de l'homme (le carré) et du monde invisible divin (le triangle) (fig. 3).

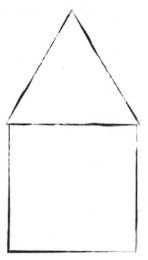

Figure 3

Il manque à ce dessin deux éléments importants que bien des enfants ajouteraient : un ciel et une terre. On les retrouve en fait dans la prière de Jésus. Le ciel, c'est le mot « Père ». La terre, c'est le mot « Amen »[1] (fig.4).

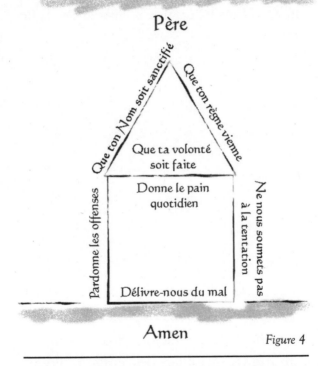

Figure 4

---

1 - Jésus ne disait pas *Amen* mais *Amin*. Les Esséniens ont conservé cette authentique prononciation.

Comme Jésus l'a plusieurs fois expliqué et exprimé, Dieu, le Père, a créé un monde parfait et c'est à l'homme d'entrer dans cette harmonie universelle. Toute sa vie, Jésus n'a eu de cesse que de se conformer à la volonté du Père et de l'accomplir dans un monde en dérive, séparé de la volonté du Père.

La prière du *Notre Père* nous permet d'entrer dans une perception intérieure de l'harmonie originelle dans laquelle nous avons été créés, dont nous faisons partie. C'est une vision du monde ancestrale que l'on retrouve chez de nombreux peuples premiers qui vivent en harmonie avec la nature. Et l'on ne voit aujourd'hui que trop clairement dans quelle dérive l'humanité est entrée en se séparant de cette vision de l'harmonie originelle de la grande maison que le Divin a donnée à l'homme : la terre, le ciel et toutes les créatures qui y vivent.

Redécouvrir notre monde

La vision essénienne du monde ne sépare pas les mondes visibles des mondes invisibles. Tous font partie d'un ensemble cohérent et harmonieux : la maison de l'homme. Sur la terre, l'homme vit en harmonie avec trois autres règnes. Les minéraux, les plantes, les animaux font partie intégrante du monde dans lequel nous évoluons (fig. 5). Et nous pouvons vérifier aujourd'hui à quel point nous sommes interreliés, dépendants les uns des autres, dans ce que la science appelle aujourd'hui un 'écosystème'.

La racine *éco*, que l'on retrouve aussi dans le mot 'écologie', signifie 'maison'. Il s'agit d'une écologie des origines, intérieure et extérieure.

Jésus enseignait que l'écologie essénienne permet à l'homme de s'harmoniser avec les autres règnes.

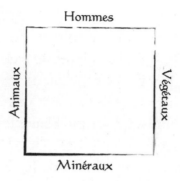

Figure 5

Mais que serait une maison sans toit ? Le triangle du toit de la maison de l'homme est composé de trois règnes tout aussi réels que les règnes minéral, végétal, animal et humain. Il s'agit du règne des Anges, du règne des Archanges et du règne des Dieux (fig. 6).

Figure 6

La prière de Jésus est en correspondance, en harmonie avec l'univers dans lequel nous vivons, du plus haut (le ciel, le Père) au plus bas (la terre, Amen). Entre ciel et terre, sept règnes forment cette harmonie, du plus haut au plus bas : les Dieux, les Archanges, les Anges, les Hommes, les Animaux, les Végétaux, les Minéraux (fig.7).

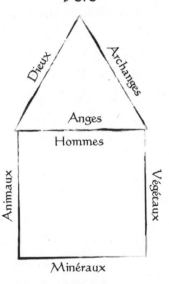

Figure 7

DIEU LA MÈRE

Si le ciel de notre univers est Dieu le Père, tel que nous l'indique Jésus, « Amen » désigne Dieu la Mère. Cela peut sembler étrange lorsque l'on est habitué à la vision des religions chrétiennes qui ont totalement écarté la femme, la féminité et la Mère de leur enseignement.

Les Esséniens ont toujours enseigné l'équilibre, l'harmonie, le respect des principes masculins et féminins, du ciel et de la terre. S'il y a un père, pourquoi n'y aurait-il pas une mère ? Pour que notre monde existe, Dieu se manifeste comme des principes de vie complémentaires. La prière de Jésus contient cet enseignement. Il nous y montre où nous nous situons dans l'échelle de la Création qui unit la terre et le ciel, la Mère et le Père. On pourrait dire que la Mère est l'instrument de musique, sur lequel vibrent sept notes, et dont le Père serait le musicien.

Le mot '*amen*' est un ancien mot pour désigner la Mère. On peut le traduire aussi par 'ainsi soit-il'. Pourquoi ? Parce que lorsque tu plantes une graine dans la terre, Dieu la Mère n'a d'autre choix que de l'accepter, de lui donner tous les éléments pour qu'elle s'épanouisse et devienne la plante qu'elle est. Dieu la Mère dit « ainsi soit-il » à tout ce que nous mettons en terre dans notre vie. Elle est la grande bénédiction de vie. Après avoir prononcé les paroles de l'harmonie des mondes, du monde du Père jusqu'au règne des minéraux, Jésus pose sa prière sur la Mère, appelle sa grande bénédiction, sa protection.

S'HARMONISER AVEC L'UNIVERS

Chacune des paroles de la prière de Jésus nous met en relation, en harmonie avec l'un des sept règnes de la Création. Le *Notre Père* est comme une échelle, il commence par le plus haut (le Père) et finit par ce qui est sous nos pieds et nous porte (la Mère). Entre les deux, différents mondes forment la hiérarchie naturelle créée par Dieu (fig. 8).

LA GRANDE CONNEXION

Nous ne sommes pas des étrangers à notre environnement. La terre vit en nous et nous vivons en elle. Cette

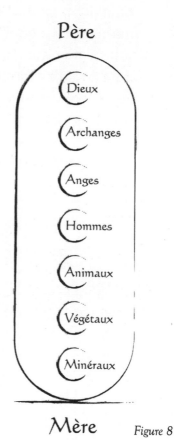

Père

Dieux
Archanges
Anges
Hommes
Animaux
Végétaux
Minéraux

Mère

Figure 8

conscience est pour les Esséniens une science précise. Chaque règne de la nature vit en nous. Les sept règnes sont en résonance vibratoire avec les sept corps subtils de l'homme (fig. 9), et les paroles du *Notre Père* nous permettent d'entrer en résonance avec chacun de nos corps subtils et chacun des règnes.

C'est une science de l'éveil des chakras par l'énergie divine du Père, la Source des sources.

Règne	Corps	Prière de Jésus
-	-	Père
Dieux	Esprit	Que ton nom soit sanctifié
Archanges	Ame	Que ton règne vienne
Anges	Destinée	Que ta volonté soit faite
Hommes	Pensée	Donne le pain quotidien
Animaux	Sentiment	Pardonne l'offense
Végétaux	Volonté	Ne nous soumets pas à la tentation
Minéraux	Physique	Délivre-nous du mal
-	-	Amen

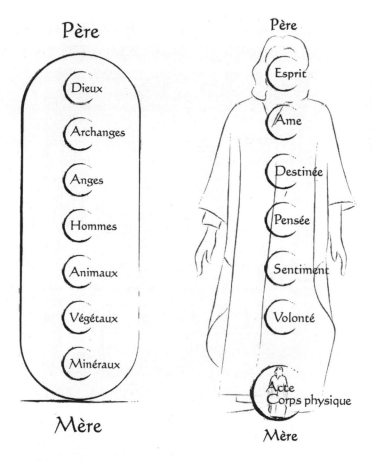

Figure 9 - Les sept règnes de la Création vivent à l'intérieur de l'homme comme sept corps, sept chakras, sept fleurs de lotus. La prière secrète de Jésus permet d'éveiller ces corps, d'activer ces chakras et ainsi d'élever notre niveau vibratoire.

En Egypte ancienne, 'Pharaon' signifiait 'la grande maison'. Cette notion d'écologie globale se retrouve dans la prière secrète de Jésus, initié aux mystères de l'Egypte et héritier de ces secrets. (Détail d'un papyrus égytpien contenant l'enseignement secret de la prière de Jésus)

LES SEPT RÈGNES
DE L'ALLIANCE

La Tradition raconte que le monde a été créé par Dieu en sept jours. Il ne s'agit bien sûr pas du temps réel mais des sept règnes de la Création : les Dieux, les Archanges, les Anges, les Hommes, les Animaux, les Végétaux et les Minéraux. Dans sa prière, le Maître Jésus décrit l'univers, étape par étape, règne par règne.

Il est nécessaire de prendre du temps pour entrer progressivement dans la grande sagesse de la Tradition condensée dans la prière secrète de Jésus. Pour cela, l'étude est la première porte.

Père

PÈRE

Le Père n'est pas un règne. Il est le principe premier de la Création, l'origine de tout, la Vie dans la vie. Lorsque Moïse, au sommet du mont Sinaï, voit devant lui le buisson ardent, il lui demande son nom et ce dernier lui répond : « Je suis Celui qui est. »

Le Père est le principe animateur et créateur caché, celui qui vit au-delà de toute vie. Il se révèle à travers toutes ses créatures mais demeure toujours dans l'invisible. Il est la conscience supérieure commune à toutes les créatures, le gardien de l'harmonie originelle des mondes. En commençant sa prière par le mot 'Père', le Maître Jésus place délibérément le principe originel de toute vie au sommet de son monde.

Il utilise sa liberté d'être humain et son pouvoir créateur pour décider lui-même qui est le 'Père', l'origine de son monde : la Source originelle de tout ce qui est, l'origine commune. Ainsi il affirme que toutes les créatures sont ses frères et ses sœurs. Il se place sous l'autorité de l'Etre suprême et s'assure ainsi d'être en accord profond avec les lois universelles de la vie, de faire partie de la grande famille naturelle, celle des sept règnes de la Création.

QUE TON NOM SOIT SANCTIFIÉ

Cette parole correspond au règne des Dieux. Comme l'indique Jésus, les Dieux sont ceux qui sanctifient le Nom du Père. Ils sont la présence, la manifestation la plus parfaite du Père dans la Création.

Pour qu'une créature puisse manifester l'étincelle divine qui vit en elle, elle doit sanctifier son Créateur.

Les Dieux ne se substituent pas aux humains. Ils sont un maillon de la chaîne par laquelle chaque règne peut remonter vers le Père. Ils permettent à l'ensemble de la Création d'accéder au Créateur, en manifestant le Père. Le Père est par essence invisible et caché.

Le règne des Dieux est l'accomplissement le plus parfait qu'une créature puisse atteindre dans le respect de ce qui a été pensé et voulu pour elle par le Créateur. Et pour cela, Jésus nous montre le chemin, le seul chemin possible pour une créature : sanctifier le Nom du Père.

QUE TON RÈGNE VIENNE

Le règne des Archanges est celui qui suit la manifestation du règne des Dieux.

La Sagesse essénienne enseigne que les Archanges sont des intelligences globales, collectives. L'Alliance divine des Esséniens repose sur quatre Archanges primordiaux. Chacun se manifeste à travers un Elément et une saison.

L'Archange Michaël est le Père de l'élément Feu. Il est la manifestation de Dieu à travers l'automne.

L'Archange Raphaël est le Père de l'élément Air. Il est la manifestation de Dieu à travers le printemps.

L'Archange Gabriel est le Père de l'élément Eau. Il est la manifestation de Dieu à travers l'hiver.

L'Archange Ouriel est le Père de l'élément Terre. Il est la manifestation de Dieu à travers l'été.

Ces Archanges sont quatre manifestations constituant l'univers tout entier. Ils sont les gardiens de la porte du monde des Dieux. Ils maintiennent les grands cycles de la vie qui se manifestent sur la terre, à travers l'harmonie et la synergie des quatre Eléments et des quatre saisons.

QUE TA VOLONTÉ SOIT FAITE

La volonté du Père est manifestée par le règne des Anges. Les Anges ne sont pas une fantaisie, une croyance un peu vague, une abstraction. Ils sont le moyen par lequel l'homme peut accomplir la volonté du Père. Ils sont beaucoup plus accessibles et définis que les Archanges :

des principes éternels auxquels l'homme
aime se relier. On les appelle également
'vertus'. Les Anges sont tout ce qui rend
la vie belle et agréable : la Bonté, l'Harmonie, la Paix, la Sagesse, la Vérité,
l'Amour, la Joie... Les Anges manifestent
la Lumière du Père dans le monde des
hommes... pour peu que les hommes se
donnent la peine de s'ouvrir à leur présence et les invitent dans leur vie.

DONNE LE PAIN QUOTIDIEN

A ce moment de la prière, Jésus nous parle du pain, de la
nutrition, qui correspond au
règne des Hommes. C'est le
premier règne incarné physiquement dans le grand écosystème, dans cette grande
chaîne qui unit les créatures vivant sur
la terre. On le voit, l'homme se situe

au centre de cette chaîne de la Création des sept règnes. Il a un rôle central d'intermédiaire entre les règnes supérieurs (Dieux, Archanges, Anges) et les règnes en dessous de lui (Animaux, Végétaux et Minéraux). Joue-t-il bien son rôle ?

Pardonne nos offenses

Cette parole correspond au règne animal. Jésus était Essénien et pour lui le respect de la Loi du Père et de ses commandements était fondamental. Il y conformait sa vie dans tous ses aspects.

En se séparant des règnes supérieurs, les hommes se coupent de la sagesse, de la source de vie. Malgré tous leurs efforts, ils ne sont plus dans la grande harmonie originelle, ne jouent plus leur rôle dans la chaîne de la Création. Ils offensent Dieu,

c'est-à-dire engendrent la dysharmonie.
Ils privent alors les règnes inférieurs de la
belle Lumière. Le premier règne déséqui-
libré est celui des Animaux.

Déjà à l'époque de Jésus, les animaux
étaient les victimes de ce déséquilibre. Et
aujourd'hui encore, il est toujours d'ac-
tualité pour l'homme de demander le
pardon des offenses lorsqu'il observe ce
qu'il fait subir au règne animal.

NE NOUS SOUMETS PAS
À LA TENTATION

Cette parole correspond au
règne végétal. Le monde des
plantes est celui de la croissance, de l'orientation, du dé-
veloppement.

Les plantes sortent de terre,
dépassent leurs limitations et se dirigent
vers la lumière. Elles nous indiquent le

sens de l'aspiration à aller vers le haut. Elles incarnent cette énergie de traverser les épreuves jusqu'à accomplir sa destinée, ce que l'on porte en soi dès le commencement.

Les plantes sont aussi un foisonnement de possibilités, un cheminement où tout est possible. Elles doivent sans cesse s'orienter, se concentrer, se recentrer sur leur but, leur objectif. Elles doivent dépasser la tentation de ne pas devenir ce qu'elles sont.

DÉLIVRE-NOUS DU MAL

Le règne minéral est celui qui porte tous les autres règnes manifestés. Les plantes, les animaux et les hommes, vivent sur lui. Il est à la fois la manifestation la plus dense de l'incarnation, l'aboutissement de la matérialisation, de la chute et également le commencement de tout ce qui évolue sur la terre, de tout ce qui remonte vers le Père.

Pour Jésus, si un 'mal' se manifeste, c'est qu'il a pris racine au commencement, au premier maillon de la chaîne.

C'est l'expérience du marcheur dans les montagnes : lorsqu'il est perdu, il cherche à se souvenir du moment précis où il a posé le pas en dehors du chemin. Tout a commencé par un léger écart qui l'a mené bien loin du chemin.

Le règne minéral est le gardien de la bonne impulsion, de la juste orientation. Il est à la fois l'enfermement absolu et la stabilité sur laquelle tout être peut s'appuyer. S'il y a un mal à son niveau, l'évolution tout entière s'élève dans une mauvaise direction.

Amen

Mère

Tout ce que tu vois sur la terre est la manifestation d'une intelligence supérieure divine que les Esséniens appellent 'la Mère'. Amen, c'est la terre, notre Mère, celle qui nous porte, qui nous nourrit et nous guérit. C'est elle qui accueille la semence que l'homme engendre par son comportement, ses paroles, ses pensées, tout ce qui forme sa prière permanente.

La Mère-terre forme une matière neutre dans laquelle les végétaux, les animaux et les hommes évoluent et qu'ils peuvent ensemencer en permanence.

La Mère est la terre qui fait pousser toutes les semences placées en elle. Elle est l'intelligence subtile qui accueille toutes les créatures dans le monde manifesté.

UN MONDE PARFAIT ?

L'univers que décrit Jésus l'Essénien dans sa prière secrète est constitué de sept règnes qui forment comme une échelle entre le Père-ciel et la Mère-terre, une harmonie originelle.

Mais le Père dont parle Jésus, est-il le père avec lequel vivent les hommes ? Les hommes sanctifient-ils le Nom du Père ? Le Père règne-t-il dans leur vie ? Accomplissent-ils sa volonté ? Reçoivent-ils leur pain quotidien de la main du Père ?

Père

Dieux

Archanges

Anges

Hommes

Animaux

Végétaux

Minéraux

Mère

Leurs offenses sont-elles pardonnées ? Sont-ils libres de toute tentation et sont-ils délivrés du mal ? Les hommes respectent-ils la Mère-terre ?

Tu vois bien ici que l'humanité s'est séparée de l'ordre et de l'harmonie originels, qu'elle a quitté le jardin d'Eden. Non seulement l'homme s'est plongé dans l'obscurité mais, on le voit aujourd'hui, il plonge le monde entier et tous les règnes dans la destruction et le malheur.

Il est indispensable de regarder clairement la situation dans laquelle nous nous trouvons aujourd'hui afin de mieux comprendre comment en sortir.

LE CHAINON MANQUANT

omme nous le montrent les manuscrits de la mer Morte, il y a
deux mille ans, les Esséniens enseignaient l'importance de se relier à la
Mère-terre, au Père-Ciel et aux Anges de
la nature. La prière de Jésus résume en
quelques mots cette vision du monde et
cet art de vivre.

Se relier et s'harmoniser de façon vo-
lontaire était déjà une nécessité à cette
époque, l'homme ayant cessé depuis
longtemps de vivre dans une communion

avec les autres règnes. Il avait totalement perdu le contact avec les Dieux ; seuls quelques Maîtres pouvaient se relier à des Archanges. Les hommes, eux, appelaient de moins en moins les Anges, les vertus, dans leur vie quotidienne. Ils avaient encore une certaine relation avec les animaux et la nature, mais qui déjà se dégradait et s'est de plus en plus détériorée avec le temps. Aujourd'hui l'homme en est même venu à détruire la nature et à perdre sa propre nature.

La prière de Jésus est un formidable moyen pour les hommes de se relier à la Mère, au Père et à tous les règnes, et de commencer à rétablir ces liens.

Il est très important de comprendre que si l'homme n'a plus de relations avec les mondes divins, il s'obscurcit, perd sa sagesse, sa capacité de communier dans la Lumière avec son environnement. Ne voyant plus le Divin en lui, il ne le voit plus dans les créatures qui l'entourent, porte sur elles un regard matérialiste dénué d'âme et de vie véritable. Ainsi les animaux, les végétaux et les minéraux sont à leur tour coupés de la Lumière divine.

L'ALLIANCE DES SEPT RÈGNES

Une ancienne légende essénienne raconte qu'après le déluge Dieu donna au Maître essénien Noé un signe de son alliance avec lui : l'arc-en-ciel. Il s'agit en fait d'une image des sept règnes (Dieux, Archanges, Anges, Hommes, Animaux, Végétaux et Minéraux). Lorsqu'ils sont unis, ces sept règnes forment l'Alliance. L'arc-en-ciel est la représentation parfaite de l'unité dans la diversité, de la complémentarité des mondes. On trouve ce secret dans le chandelier à sept branches dont les Esséniens connaissent le secret.

Ce chandelier est appelé 'ménora' (fig. 10). Il montre l'interdépendance qui unit tous les règnes, et la place fondamentale que doit jouer l'homme dans l'équilibre global.

Figure 10

Le chandelier à sept branches est utilisé par les Esséniens dans de nombreux rituels sacrés. Sept bougies y sont allumées, chacune portant l'une des couleurs de l'arc-en-ciel. Chacune représente un des règnes. La ménora est un symbole fondamental des Esséniens, à tel point qu'elle figure sur leur drapeau.

L'ALLIANCE BRISÉE

Lorsque l'homme devient matérialiste, il se coupe des mondes supérieurs divins (Dieux, Archanges et Anges) et brise ainsi l'Alliance (fig.11). Il ne reçoit plus de Lumière et s'obscurcit, il devient plus dense, plus terre à terre. Il ne voit plus l'essence divine, l'âme des minéraux, des végétaux et des animaux. Il a le sentiment qu'il peut faire ce qu'il veut avec eux et les considère comme des

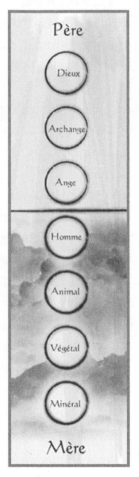

Figure 11

ressources à exploiter. Ce sont ces percep-tions, ces attitudes, ces comportements qui ont mené notre planète à la catas-trophe écologique que nous connaissons.

Le rôle du Maître

La séparation entre les mondes de la terre et du ciel est une blessure profonde qui vit en chacun de nous. Les Esséniens l'appellent 'la chute'.

La Création s'est faite en sept étapes, chacune étant une chute par rapport à la précédente. Chaque règne est plus dense que le précédent, jusqu'aux minéraux, la densification absolue.

Ce royaume de la chute porte pourtant en lui-même sa propre guérison, son principe de remontée vers le Père. Il fut un chemin de descente et constitue au-jourd'hui un chemin d'ascension.

Cette ascension est un travail que doit faire chaque individu par sa propre volonté d'éveil, son travail intérieur.

Nous sommes nombreux à ressentir cette coupure d'avec les mondes divins, ce manque, cette absence de la Lumière dans notre vie. Nous cherchons à la combler à tout prix, sans jamais y parvenir. Comment réparer cette fracture profonde entre notre monde et les mondes divins ? La Sagesse essénienne nous enseigne que les Maîtres savent comment faire et que leur rôle est de l'enseigner.

A toutes les époques, de grands Maîtres se sont incarnés sur terre pour livrer un message de Lumière, enseigner aux hommes un chemin de libération, de remontée. Eux-mêmes ont parcouru le chemin qui gravit la grande montagne et sont redescendus. Ils sont capables de guider les hommes sur ce sentier. Les Maîtres ont toujours été les gardiens de la conscience la plus élevée de l'humanité, de la vision la plus haute, les intermédiaires agissant entre les mondes, la flamme allumée qui fait que l'obscurité n'est pas totale.

Peu importe quand et où ils s'incarnent sur la terre, les Maîtres parlent pour l'humanité entière. Bien sûr, ils parlent aux hommes qui les entourent, dans le cadre de leur culture. Mais la conscience n'a pas de frontières. Leur message est universel et peut être capté dans le monde entier par tous les hommes qui aspirent à la Lumière.

Leur appel à l'éveil et à l'action résonne dans les mondes subtils et peut toucher tous les êtres sans distinction. Chacun reçoit l'envie d'être meilleur, de comprendre le sens de sa vie, d'accomplir quelque chose de grand pour le monde divin, de devenir un Maître, de retrouver l'essence de sa propre tradition ou religion...

Le Maître transmet une impulsion de vie qui se répand dans tous les mondes mais elle ne fait pas tout le travail. Chaque homme est responsable de sa vie et de la vie du Tout. Chacun est unique et a un rôle à jouer.

Le Maître ne vit pas à la place des autres, il n'est qu'un point de contact qui permet de recevoir la vie. Le Maître essaie de montrer aux hommes comment rétablir la connexion, comment restaurer l'équilibre, comment assumer leur rôle d'intermédiaires, leur place dans cette Alliance des sept règnes. C'est tout le message qui est contenu dans la prière de Jésus.

SUR LA TERRE COMME AU CIEL

La présence des Maîtres est rendue indispensable par l'inconscience et l'irresponsabilité dans lesquelles les hommes se sont placés et qui plongent toute la Création dans la destruction et le malheur. C'est à cause de la différence entre ce que l'homme devrait vivre et la réalité de la terre que Jésus demande que la volonté du Père soit faite « sur la terre comme au ciel ».

« Sur la terre comme au ciel » marque une charnière, une articulation, une transition dans le *Notre Père*. C'est le passage d'un monde supérieur lumineux et fidèle au Père (les règnes des Dieux, des Archanges et des Anges) à un monde rendu obscur par le refus des hommes de vivre en harmonie avec les lois du Père.

Qui sont les gardiens de l'équilibre entre le ciel et la terre ? Qui peut voir et comprendre les choses à la fois dans une perception parfaite divine et à la fois dans leur réalité terrestre ? Les Maîtres qui sont les gardiens de cette double conscience, de cette double perception. Eux vivent dans les deux mondes du sommet et de la vallée, parcourent le chemin qui les unit.

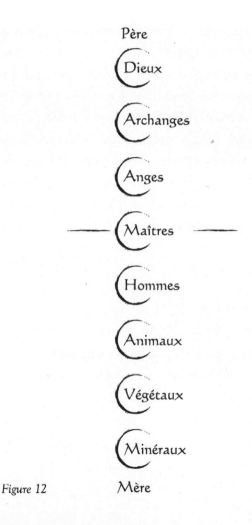

Père

Dieux

Archanges

Anges

Maîtres

Hommes

Animaux

Végétaux

Minéraux

Figure 12   Mère

Nous pouvons donc représenter cette réalité par la création d'une nouvelle sphère, d'une nouvelle étape dans le *Notre Père*, celle des Maîtres (fig. 12). Ce sont alors dix paroles qui constituent l'architecture parfaite de l'univers, que l'on retrouve dans les dix sphères de l'Arbre de Vie de la tradition de la kabbale (fig. 13). Je ne peux cependant développer ici cet enseignement passionnant.

Règne	Corps	Prière de Jésus
-	-	Père
Dieux	Esprit	Que ton Nom soit sanctifié
Archanges	Ame	Que ton règne vienne
Anges	Destinée	Que ta volonté soit faite
Maîtres	Conscience	Sur la terre comme au ciel
Hommes	Pensée	Donne le pain quotidien
Animaux	Sentiment	Pardonne l'offense
Végétaux	Volonté	Ne nous soumets pas à la tentation
Minéraux	Physique	Délivre-nous du mal
-	-	Amen

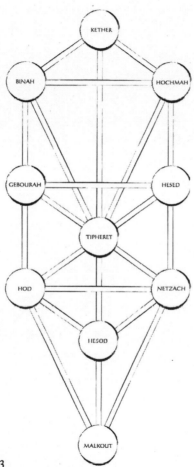

Figure 13

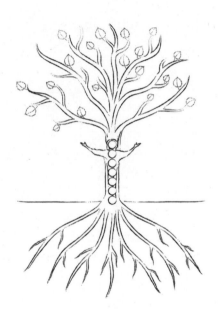

VI

ANATOMIE
DE L'HOMME GLOBAL

Si la prière du Maître Jésus est universelle, c'est parce qu'elle parle au cœur de chacun. Elle est imprégnée de la vision essénienne du monde que portait Jésus. C'est une vision profondément unitaire de la totalité de la Création. Comme l'a dit Jésus : « Vous êtes en moi et je suis en vous » (Jean 14:20), ce qui montre bien son état de conscience, la qualité de vie qui l'animait et le faisait vivre en communion avec toutes les créatures du monde.

Les Esséniens, un peuple premier

L'homme porte en lui la Création tout entière. Il n'est absolument pas séparé des autres créatures. Cette vision essénienne du monde est celle des peuples premiers.

Des religions se sont greffées sur les enseignements de Jésus et se sont totalement éloignées de cette façon de voir le monde. Elles ont fini par convaincre l'homme qu'il était un être supérieur, un étranger sur la terre, puni dans un monde hostile, une nature qu'il fallait dresser, soumettre. Pourtant, Jésus a dit : « Si je vais vers le Père, j'entraînerai le monde entier avec moi. » (Jean 12:32)

Il voulait dire que l'homme porte en lui tous les règnes et que le chemin qui peut nous rapprocher du Divin est celui de la réunification et non de la division.

Les règnes de la terre vivent en l'homme mais d'une façon différente de leurs manifestations extérieures. Les Dieux, les Anges, les Animaux vivent aussi en lui. Ils forment l'anatomie de base de l'homme. La vision moderne de l'être humain et de son anatomie est tellement pauvre, mesquine et rabougrie... Selon elle, l'homme est un assemblage d'organes que la science a découpés et dont elle possède une cartographie parfaite. Cette vision réductrice est totalement dégradante pour l'être humain, elle mène à tous les excès, tous les abus et à une réduction de la condition humaine dans tous ses aspects.

LE MONDE ENTIER EN NOUS

Chaque homme porte en lui un monde vaste et grand. Il est interrelié, interconnecté avec le monde et les créatures qui l'entourent (fig. 14). Chacun des règnes

-supérieurs ou inférieurs- vit en l'homme comme un corps. L'ensemble de ces corps forme l'être humain dans sa globalité.

Le monde minéral constitue l'ossature, bien sûr, mais également tout ce qui en l'homme est stable.

Le monde végétal, ce sont les fibres, tout ce qui croît et ondule comme, par exemple, les systèmes veineux et nerveux ; c'est également la force de croissance et d'élévation qui vit en chacun.

Le règne animal vit en l'homme comme une chaleur, une force de sentiment et également la capacité à se déplacer.

Les mondes supérieurs eux aussi existent dans l'homme, vivent en lui, comme nous le verrons plus loin.

Dans ces conditions, comment l'homme pourrait-il se séparer de la nature, comment pourrait-il continuer à vivre s'il se coupe de toutes les créatures qui partagent la vie avec lui ? Comment pourrait-il

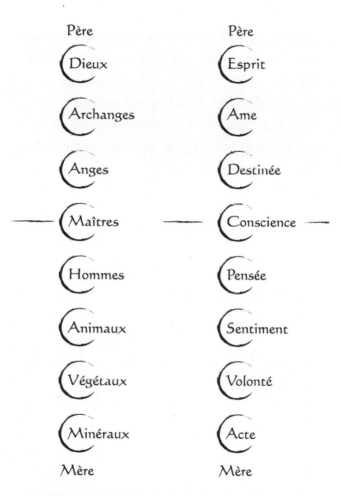

Père   Père

Dieux   Esprit

Archanges   Ame

Anges   Destinée

Maîtres   Conscience

Hommes   Pensée

Animaux   Sentiment

Végétaux   Volonté

Minéraux   Acte

Mère   Mère

Figure 14 : les règnes de la Mère (à gauche) et leur correspondance avec les corps subtils de l'homme (à droite).

être juste et heureux s'il perd le contact avec la terre sous ses pieds, les plantes et les animaux avec lesquels il partage son espace de vie ? Comment peut-il espérer être heureux s'il se sépare des mondes supérieurs divins des Anges, des Archanges et des Dieux ?

VII

LA RÉPONSE
EST DANS LA QUESTION

L a prière de Jésus est à la fois une description de l'univers, une description de l'anatomie globale de l'homme, mais également le constat d'une maladie qui rend l'homme malheureux. Merveille des merveilles, le *Notre Père* contient également le grand remède et en cela -comme de bien d'autres façons-, Jésus montre qu'il est une perfection manifestée de la Tradition essénienne qui est celle des thérapeutes, des guérisseurs. Pour chacun des règnes, pour chacun des corps de l'homme, Jésus nous indique à la fois un problème et sa solution. Là est le fameux baume des Esséniens, le remède miracle qui peut toucher et soigner tous les niveaux de l'être (fig. 15). Le corps physique n'est qu'une toute petite partie de l'être global, sa partie la plus dense. L'homme est constitué d'autres corps, plus subtils mais tout aussi importants.

Ce savoir était parfaitement connu des initiés égyptiens.

On trouve de nombreuses représentations

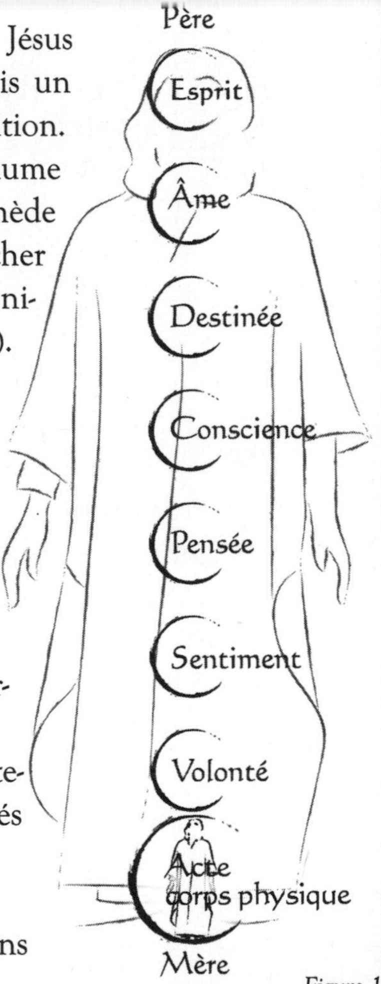

Père
Esprit
Âme
Destinée
Conscience
Pensée
Sentiment
Volonté
Acte
corps physique
Mère

Figure 15

Figure 17

Figure 16

de l'homme global, en pleine possession de ses corps subtils, du plus haut (corps d'esprit) au plus dense (corps physique) (fig. 16).

A ses pieds est représentée sa nature mortelle, de polarité féminine : la personnalité et le corps physique. (fig. 17).

Père

Tout être a une origine. Nul ne peut vivre dans ce monde sans avoir été engendré par des parents et donc par une lignée. Il ne peut faire autrement que de porter une hérédité.

Cette notion de filiation est extrêmement importante, même si elle semble aujourd'hui assez nébuleuse et étrangère aux hommes et à leurs préoccupations.

Pendant très longtemps, être le fils de son père a été une source de fierté, d'honneur, une conscience très importante. Pour les peuples premiers, c'était une évidence, un fait qui imprégnait toute la façon de voir la vie. Dans la Bible, on trouve d'ailleurs le détail d'un grand nombre de lignées ; ainsi, l'Evangile de

Matthieu commence par la généalogie de Jésus.

Croire que l'on peut vivre en s'affranchissant de cette réalité est une fausse liberté. Croire que l'on n'a pas besoin de se relier à ses ancêtres, que l'on peut échapper à toute influence héréditaire ou que nos seuls parents sont nos parents biologiques sont des idées très répandue qui ne mènent en fait qu'à l'inconscience.

En faisant commencer sa prière par le mot 'Père', Jésus nous pousse à nous poser des questions fondamentales : Qui est mon père ? Qui ai-je placé dans ma vie comme autorités, visibles ou invisibles ? Quel est le principe supérieur qui m'anime, la foi qui me fait avancer ? Quels sont ma motivation, mon but et mon objectif, l'origine de mes désirs ?

Le Père dont parle Jésus dans sa prière est le principe absolu à l'origine de toute la Création. Il nous invite à accéder à une conscience supérieure et à percevoir clairement ce que nous avons placé au sommet, au-dessus de tout dans notre vie. La prière de Jésus te dit : en conscience, choisis pour toi-même le Père de tous les pères.

QUE TON NOM SOIT SANCTIFIÉ
RÈGNE DES DIEUX
CORPS DE L'ESPRIT

Père

Que ton nom soit sanctifié

Le corps d'esprit est la semence, le grain divin. Il est le don de la vie, le précieux qui vit en chaque être. C'est le chemin et la mission donnés à l'origine pour chaque créature. Chaque être porte en lui ce potentiel, cette bénédiction des origines. Comment pouvons-nous atteindre le bon-

heur, la plénitude, le sentiment d'accomplissement que nous cherchons tous ?

La prière de Jésus nous le révèle : nous
devons sanctifier le Nom du Père. Il n'y
a pas d'autre chemin que de devenir ce
que nous sommes en réalité, que de cher-
cher à nous unir à ce principe supérieur
de notre être qui nous anime et constitue
notre corps le plus haut.

C'est un chemin à la fois d'individualisa-
tion et d'unification car chaque être est
unique mais manifeste une facette, un vi-
sage, un nom du Dieu unique, du Père
de tous les pères.

Si l'homme a pris pour père un autre
dieu, un autre idéal que celui de son âme,
il travaille toute sa vie pour sanctifier ce
faux père qui n'est pas le Père originel de
toutes les créatures.

Sa vie est alors égoïste, limitée à son petit
moi. Il ne connaîtra pas la plénitude, la
sérénité, l'accomplissement. Il sera sans

cesse dans l'insatisfaction. Si, par contre, il connaît son origine divine, il œuvrera pour le Père commun de toutes les créatures. Tout ce qu'il fera sera bénédiction, pour lui comme pour les autres.

La prière de Jésus te dit : si tu veux devenir qui tu es réellement, sanctifie le Nom du Père en toi.

QUE TON RÈGNE VIENNE
RÈGNE DES ARCHANGES
CORPS DE L'ÂME

L'âme est la mémoire pure de l'être, un souffle éternel et immortel.

Elle est ce qui peut à la fois évoluer, grandir, et qui pourtant est immortel. Il ne s'agit pas de l'âme dont la plupart des hommes peuvent parler aujourd'hui et qui est en fait leur moi psychologique.

Il s'agit d'une conscience de l'éternité qui vit en chacun, mais qu'il est presque impossible de contacter à cause de notre conscience matérialisée.

Le monde de l'âme est celui dans lequel doit régner le Père. Les Archanges sont le règne du Père manifesté.

L'homme doit vivre avec les Archanges pour pouvoir vivre avec son âme dans une éternité, une immortalité consciente. Seuls les Archanges peuvent emmener l'homme dans ces mondes, à la rencontre de son âme.

La prière de Jésus te dit : si tu veux vivre avec ton âme, vis avec les Archanges, qui sont le règne du Père.

QUE TA VOLONTÉ SOIT FAITE
RÈGNE DES ANGES
CORPS DE LA DESTINÉE

Comment pourrais-tu voir la beauté si elle n'était pas manifestée par les fleurs, le ciel bleu, une harmonie palpable ?

Les Anges sont ce qui permet à l'homme de saisir la volonté du Père et de l'accomplir. Ils sont tout ce qui nous rend heureux, tout ce qui nous apporte le bonheur et la vie belle.

Ce que les Esséniens appellent 'Ange' est l'essence d'une vertu, et pas ce que les hommes ont pu en faire. Par exemple, l'Ange de l'Amour est la pureté, l'éternité de l'Amour. Même si les hommes sont déçus de l'amour, l'utilisent sans vraie conscience, le déforment, en abusent, cela ne veut pas dire que l'amour n'existe pas dans sa pureté et sa vérité. De même, les hommes peuvent trahir l'amitié mais l'amitié existe toujours, au-delà de tout ce qu'ils en font.

Dans son corps de destinée, l'homme a une liberté. Il peut écrire lui-même sa destinée en fonction de ce qu'il fait des vertus, des valeurs. Si l'homme abîme une vertu, il récoltera le fruit de son comportement, il connaîtra lui-même la peine jusqu'à ce qu'il s'éveille.

C'est pour cela que Jésus a dit : « Ce que vous voulez que les autres fassent pour vous, faites-le aussi pour eux. » (Luc 6:31)

Dieu a donné à l'homme de nombreuses vertus, de nombreuses valeurs pour une vie belle et en harmonie. Selon ce que l'homme en fait, il se prépare tel ou tel futur.

La prière de Jésus te dit : unis-toi à l'essence pure de chaque chose et tu accompliras la volonté du Père, qui est le bien commun.

SUR LA TERRE COMME AU CIEL
RÈGNE DES MAÎTRES
CORPS DE CONSCIENCE

Tout homme devrait vivre en communion avec les mondes supérieurs (Dieux, Archanges et Anges) qui constituent en fait la partie supérieure de son être (Esprit, Ame et Destinée). Mais la matérialisation de l'humanité nous a séparés de ces mondes supérieurs. C'est pour cette raison que le Maître Jésus mentionne l'importance que les choses soient sur la terre comme elles le sont au ciel. C'est la conscience qui peut nous amener à faire qu'il en soit ainsi.

La pensée et la conscience devraient être une. La pensée devrait 'réfléchir', refléter la Lumière des mondes supérieurs. Ainsi l'homme porterait en lui la grandeur divine.

Pour y arriver, il doit développer sa conscience, devenir de plus en plus conscient de ce qu'il est et de ce qu'il fait, de toutes les créatures et de la vie qui l'entourent. Plus l'homme éveille sa conscience, plus il pourra réunir en lui la vie terrestre et la vie céleste, sa nature mortelle et sa nature immortelle.

L'état originel de pureté que nous avons perdu est conservé par des êtres spécialement formés : les Maîtres. C'est à eux qu'il revient de nous transmettre les grands messages, la parole divine, la sagesse.

Consciemment ou inconsciemment, tout homme marche sur un chemin. Seule la recherche de la maîtrise conduit au bonheur et à la plénitude. L'homme doit aspirer à devenir lui-même un Maître.

C'est un chemin qui est ouvert à tous. Jésus lui-même l'a affirmé : « Vous êtes des Dieux. » (Jean, 10:34) Et en effet, nous possédons tous les corps subtils nécessaires pour nous unir au Père.

Nous devons par contre les activer, les rendre vivants. En attendant, les Maîtres jouent ce rôle de gardiens de la conscience la plus pure et d'enseignants du savoir véritable. Ils le font pour toute l'humanité, avec impersonnalité et fidélité.

L'histoire nous montre que les Maîtres ont été dénigrés, pourchassés, que plusieurs ont été assassinés. A chaque fois, leur message d'éveil de la conscience a été transformé, détourné. C'est ce qui explique, par exemple, que la prière que

Jésus a donnée à ses disciples est restée 'secrète'.

Seul un petit nombre a conservé et transmis son sens véritable au cours des âges. Les autres n'ont fait plus ou moins que répéter une formule sans la comprendre ou lui ont donné des interprétations erronées. Elle est devenue non pas une source d'éveil et de conscience mais un calmant, un somnifère.

La prière de Jésus te dit : cherche le Maître incarné, celui qui garde la conscience supérieure de l'humanité. Par le savoir véritable, il te guidera jusqu'à la conscience supérieure commune.

DONNE-NOUS LE PAIN QUOTIDIEN
RÈGNE DES HOMMES
CORPS DE PENSÉE

L'homme matérialisé a abandonné ses corps supérieurs, la partie supérieure de

Père

Donne-nous le pain quotidien

son être. Son corps de pensée est devenu le sommet de son être. Il s'en sert pour dominer le monde, accaparer toutes ses ressources pour son propre béné-fice. L'intelligence in-tellectuelle est devenue la plus prestigieuse, la plus recherchée. On ne parle plus de l'in-telligence du cœur, de l'importance de la conscience ou de la vie de l'âme.

Séparée du savoir véritable et de la conscience, la pensée devient froide, calculatrice, elle en arrive à nier la vie, la conscience et l'âme des pierres, des plantes et des animaux, à les considérer comme des êtres inférieurs, des objets dont on peut faire ce qu'on veut.

Elle pousse l'homme à rechercher une forme de perfection technologique qui l'éloigne toujours plus de la nature, de sa propre nature.

L'homme est devenu un étranger à la terre, sa Mère, au point que pour résoudre les problèmes écologiques évidents qu'il a provoqués par son désir de 'progrès', il recherche des solutions par la science, par la technologie, par une pensée qui n'est plus reliée à l'âme, au cœur et au savoir véritable. C'est pourtant cette attitude qui l'a conduit à détruire son environnement, mais il cherche la solution avec les mêmes outils...

Pour être vivant, le corps de pensée ne doit pas se nourrir d'un savoir intellectuel, abstrait, mort. Il doit se nourrir de vie : à la fois la vie qui vient de la Mère et la vie supérieure qui vient des mondes divins.

La pensée doit être replacée dans son juste rôle, celui d'intermédiaire entre la conscience et les sentiments.

La prière de Jésus te dit : nourris ta pensée du pain de vie qui vient de Dieu le Père et Dieu la Mère.

PARDONNE NOS OFFENSES
RÈGNE DES ANIMAUX
CORPS DE SENTIMENT

Les animaux sont l'incarnation des sentiments, des sens. Lorsque tu as des sentiments, tu es relié aux animaux. Dans l'incroyable symphonie des sentiments, chaque espèce animale est la gardienne d'une note de musique. Si tu observes avec le cœur un loup, un agneau ou un dauphin, tu percevras une qualité d'âme différente en chacun. Dans leur pureté, les animaux sont des manifestations du

Divin, et c'est pour cette raison que les peuples premiers parlent des animaux totems, des dieux-animaux. Ils parlent en fait de la qualité d'âme que porte chacun d'eux et qui est honorable.

Avec le temps, l'humanité a perdu cette vision et s'est servie des animaux pour ses intérêts égoïstes. Les initiés ont détourné leurs connaissances magiques pour les utiliser à des fins de pouvoir et de domination. Par exemple, ils se sont emparés de l'âme du loup pour rendre leurs chefs plus agressifs, conquérants et impitoyables. Ainsi sont nées une magie grise et une magie noire aux conséquences dévastatrices : ce qui était juste et bon dans l'animal s'est transformé en maladies dans l'homme.

L'homme a commencé par exploiter la force magique des animaux puis, peu à peu, il a perdu la vision du Divin qui vivait en eux. Aujourd'hui il ne les considère même plus comme des sources de pouvoir magique mais uniquement comme des objets, à sa disposition et pour son profit.

La prière de Jésus te dit : si tu veux guérir tes sentiments et restaurer l'équilibre dans le monde, apprends à voir l'offense et à demander pardon.

Ne nous soumets pas à la tentation
Règne des végétaux
Corps de volonté

Père

Ne nous soumets pas à la tentation

Il y a en chacun de nous des désirs, des aspirations et une capacité à les réaliser. Les plantes sont l'incarnation, l'âme de cette capacité, de ce désir fondamental d'évolution. La plante est en toi la force capable de passer de l'obscurité à la Lumière.

Pense par exemple à la petite fleur du perce-neige, si fine et délicate et pourtant capable de traverser une croûte de glace. Pense aussi à ces immenses arbres dans les forêts : tous ont d'abord été de petites graines, faibles, fragiles, posées dans l'obscurité froide de la terre.

Cette force habite en l'homme. Elle est une énergie considérable qui fait que nous pouvons accomplir des miracles... ou des calamités.

Vers quels buts orientons-nous notre volonté, notre capacité d'action ? La plante connaît le secret : la lumière. Elle suit l'appel de la lumière et ainsi réussit à s'orienter, à trouver le chemin. L'homme fait-il la même chose ? Quelle lumière suit-il dans sa vie ?

Lorsque l'on grandit en allant vers un objectif, il ne fait nul doute qu'en chemin, on est tenté. Tenté de s'intéresser à telle ou telle chose, tenté de changer d'idée, tenté de renoncer...

C'est une sagesse que l'on retrouve dans d'anciens contes et légendes des chevaliers : partis en mission, les chevaliers sont souvent tentés en cours de route. Que ce soit une belle jeune femme qui lui conseille de se reposer ou une vieille femme qui lui demande de l'aide, le chevalier oublie sa quête et lorsqu'il se réveille, il est trop tard.

La prière de Jésus te dit : choisis soigneusement la lumière de ta vie car elle oriente ta volonté. Une fois que tu l'as choisie, reste concentré jusqu'à être parvenu à ton but.

DÉLIVRE-NOUS DU MAL
RÈGNE DES MINÉRAUX
CORPS PHYSIQUE

Père

Délivre-nous du mal

Etre 'en enfer', c'est être enfermé. L'enfermement n'est pas le mal en soi, mais il le devient s'il s'oppose à la libération, la remontée vers ce qui est plus grand. Une graine tombée en terre passe l'hiver à attendre les beaux jours. Alors qu'il gèle dehors, elle profite de la bénédiction de l'enfermement. Elle concentre en elle toute la force et la concentration nécessaires à sa germination et sa croissance futures. Si, le printemps venu, la graine ne sort pas d'elle-même pour s'ouvrir au monde et pousser, elle est dans 'le mal'. Elle reste dans l'enfermement et n'accomplit pas sa mission, ce pour quoi elle a été faite graine.

Pour les Esséniens, le corps physique et les actes de l'homme sont une graine, un potentiel. Que vas-tu faire de ce potentiel, de cette vie qui t'ont été donnés ? Vas-tu avoir la force de sortir de ta torpeur pour entrer dans l'inconnu et tenter de devenir celui que tu es réellement ? Vas-tu donner la première place au Divin dans ta vie ou vas-tu te limiter à ton existence propre, séparée du Tout ?

Il y a une différence entre une pierre et une graine. Cette différence est un potentiel. Ce n'est qu'une fois que la graine germe que l'on voit cette différence. Nous sommes tous des graines. Et certains parmi nous le resteront, ne germeront pas, n'entreront pas sur le chemin de l'éveil et de la remontée vers le Père. Ils ne répondront pas à l'appel du printemps. Ils seront alors des pierres, enfermées dans le 'mal' dont parle Jésus, lui qui connaissait ces secrets et savait qu'aucun homme sur terre n'est à l'abri de cette emprise du corps physique. C'est pour cette raison qu'il a conseillé à ses disciples de demander à être délivrés de ce mal, de cette minéralisation totale de l'être.

La prière de Jésus te demande : Es-tu une pierre ou une graine ? Si tu n'éveilles pas le Divin en toi, tu ne fais que rêver ta vie.

AMEN
LA MÈRE

Père

Amin

Chacune des quatre lettres du mot 'Amen' représente un des quatre Eléments : le Feu, l'Air, l'Eau et la Terre. Si tu veux réellement dire 'Amen', tu dois te tourner vers la Mère-terre, entrer en communion avec ses Eléments. Mais la Mère ne t'acceptera réellement que si tu portes en toi l'ensemble des mondes. Pour cela, tu dois faire comme Moïse au sommet du Sinaï : tu dois réaliser que la terre sur laquelle tu marches est ta Mère, qu'elle est sainte et sacrée. Ote tes sandales, c'est-à-dire les couches d'ignorance ou de faux savoir qui te coupent des règnes de la Mère. Elle verra alors en toi les Minéraux, les Végétaux, les Animaux, les Hommes, les Maîtres, les Anges, les Archanges, les Dieux et le Père. Elle t'ouvrira les portes de son monde et se tiendra toujours sous tes pieds comme une bénédiction, une sagesse.

La prière de Jésus te dit : si tu veux remonter vers le Père, commence par te poser sur la Mère.

VIII

ENTRER DANS LA PRATIQUE

Un adage essénien dit : *Les Essé-niens ne sont pas des croyants mais des pratiquants*. Tout ce que je t'ai expliqué au sujet de la prière secrète de Jésus t'a permis de lever un coin du voile. Cela n'est pourtant rien par rapport à ce que tu découvriras lorsque tu entreras dans la pratique.

La Sagesse essénienne n'a pas d'autre but que d'aider l'homme à se reconnecter à sa nature supérieure, au monde divin. Si l'étude est une étape fondamentale, la pratique fait intégralement partie de l'étude. Car comme tu l'as vu, le corps de pensée n'est qu'une partie de ton être. Tu as d'autres corps qu'il faut nourrir d'une nourriture supérieure, d'une nourriture de Lumière. Ainsi la totalité de ton être peut entrer sur le chemin tracé par Jésus à travers le *Notre Père*.

Cette connaissance a été gardée à travers les siècles. A l'époque de Jésus, c'est saint Jean et Marie qui furent en charge de la transmettre. Ils fondèrent une école à Ephèse où ils enseignaient ce que Jésus leur avait transmis.

A travers les siècles -malgré les persécutions de l'Eglise-, on trouve des traces de ce savoir. Les Cathares, par exemple, avaient fait du *Notre Père* l'élément central de leur pratique d'éveil. Ils l'enseignaient, en donnaient des explications très développées et surtout transmettaient des méthodes pour le rendre vivant.

Les méthodes esséniennes s'adressent à tous les corps, du corps physique jusqu'au corps de l'esprit. Pour chaque corps, un grand nombre de pratiques peuvent être appliquées. On peut citer quelques exemples.

Le corps de l'esprit

Pour activer le corps de l'esprit, les Esséniens étudient et mettent en pratique le Nom de la Mère qu'ils reçoivent individuellement au cours d'une initiation.

Ce Nom décrit la mission de leur âme pour cette vie, la ou les qualités qu'ils doivent développer.

Faisant cela, ils activent d'une façon très concrète la semence que le Divin a mise en eux. Cette initiation a lieu chaque année, en été, dans les Villages Esséniens.

Le corps de l'âme

Pour activer le corps de l'âme, les Esséniens s'approchent des Archanges. Comme nous l'avons vu, chacun des quatre grands Archanges de l'Alliance divine est relié à une saison. Quatre fois par an, les Esséniens s'assemblent pour les célébrer ; ils leur dressent un temple et s'approchent de leur présence. Dans ces temples, les Archanges donnent un enseignement sous forme de psaumes, qui constituent l'Evangile Essénien. Les Esséniens l'étudient toute l'année, se reliant ainsi en permanence au monde des Archanges, qui est celui de l'âme éternelle qui vit en chacun de nous.

Le corps de la destinée

Pour activer le corps de la destinée, les Esséniens s'unissent à un Ange. En effet, l'angéologie est une tradition directement issue des pratiques esséniennes. Aujourd'hui largement détournée et dévoyée, la science des Anges est restée pure et vivante chez les Esséniens. Chaque Essénien s'unit à un Ange à travers une pratique appelée la Ronde des Archanges. Ainsi l'Essénien récupère son pouvoir créateur et choisit d'écrire sa destinée en union avec un Ange.

LES CORPS DE PENSÉE ET DE CONSCIENCE

Pour activer et guérir les corps de pensée et de conscience, les Esséniens étudient l'Enseignement. Il ne s'agit pas d'une étude purement intellectuelle mais bien d'une étude qui intègre la conscience. Le savoir de la Sagesse essénienne n'est pas une masse figée de connaissances intellectuelles. Il éveille la conscience, réunit le mental à la conscience supérieure et permet à la pensée de retrouver son rôle de 'réflexion', de miroir de la Lumière supérieure. La méditation -immobile et en mouvement- fait intégralement partie de cette étude.

CORPS DE SENTIMENT

Pour activer et guérir le corps de senti-ment, les Esséniens pratiquent diverses méthodes de dévotion, de prière, de chant sacré et d'équilibrage des émo-tions. La grande méthode du 'Pardon des offenses' est l'une des principales. Elle in-clut l'étude du *Notre Père*, des sept règnes, de la chute et de la remontée vers le Père mais également la pratique de rituels spécifiques au cours desquels l'homme peut demander pardon aux règnes et à la Mère. C'est une méthode de guérison ex-trêmement puissante.

CORPS DE VOLONTÉ

Pour activer et guérir le corps de volonté, les Esséniens pratiquent de nombreux rituels qui le structurent. Ils adoptent également volontairement certaines disciplines de vie, sur des durées courtes ou plus longues.

Un très grand nombre de mouvements d'énergie sont également pratiqués, ainsi que des danses sacrées.

CORPS PHYSIQUE ET D'ACTION

Pour clarifier le corps physique et d'action, les Esséniens réalisent des œuvres conformes à leur idéal de Lumière. Ils cherchent à être concrets et à bâtir un monde meilleur jusque dans le monde matériel. L'acte conscient uni à la sagesse est profondément libérateur. Il permet à tout ce qui a été cultivé dans les corps plus subtils de se poser dans la réalité, et tout devient cohérent.

LA RELATION À LA MÈRE

Pour activer et guérir leur relation à la Mère, les Esséniens se forment à son contact. Ils créent des Villages Esséniens où la Mère-terre est préservée, sanctifiée. Là, ils entrent en contact avec elle à travers une série de formations que l'on appelle les Formations Esséniennes. Ces formations commencent par l'étude, bien sûr, et la pratique de la Ronde des Archanges, et se poursuivent avec un travail initiatique avec les quatre Eléments afin de reconstituer nos quatre corps : le corps de Feu, le corps d'Air, le corps d'Eau et le corps de Terre. D'autres étapes viennent ensuite, qui ont pour but de reconnecter profondément l'Essénien à la Mère et à ses règnes.

PRIER DE TOUT SON ÊTRE :
LE *NOTRE PÈRE* EN MOUVEMENT

Prier avec la conscience, la pensée, le cœur, la volonté, l'acte et le corps... Cet art de la prière totale est celui des Esséniens, depuis la nuit des temps. Voici comment les Esséniens prononcent la prière de Jésus, dans le plus grand respect, la méditation, l'ouverture de conscience, la chaleur du cœur, le sens du sacré, honorant la mémoire du grand Maître Jésus, qui nous a ouvert son cœur de Fils du Père et de la Mère pour nous transmettre cette prière du *Notre Père*.

Avant de commencer, assure-toi que tu ne seras pas dérangé durant toute la durée de ton travail.

Il est important de pouvoir te sentir disponible, détendu, éveillé, présent. Ainsi tu pourras faire participer tous tes corps subtils à la prière.

Tu peux pratiquer le *Notre Père* en mouvement chez toi, devant une bougie allumée avec respect ou dans la nature, seul ou avec des amis. Il s'agit d'un exercice de base ; des pratiques beaucoup plus élaborées, incluant d'autres paroles sacrées, des chants, des danses et de magnifiques décors, constituent d'émouvants rituels pratiqués dans les Loges Esséniennes

C'est une expérience magnifique favorisant de profondes prises de conscience, un moment d'apaisement et de clarification. C'est également un moyen d'entrer dans la vie intérieure de Jésus et de recevoir un souffle de vie supérieure.

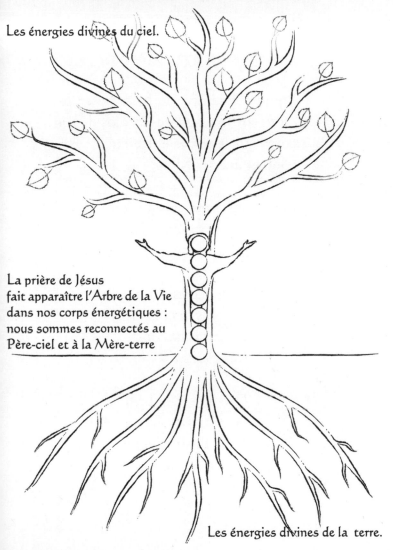

Les énergies divines du ciel.

La prière de Jésus
fait apparaître l'Arbre de la Vie
dans nos corps énergétiques :
nous sommes reconnectés au
Père-ciel et à la Mère-terre

Les énergies divines de la terre.

MOUVEMENT D'OUVERTURE

Prends le temps de bien poser tes pieds sur le sol. Pose le poids de ton corps sur le sol et entre en contact avec la Mère.

Ouvre les bras devant toi et dis consciemment : « *Père* ».

Elève consciemment tes bras vers le ciel et dis une seconde fois : « *Père* ».

Lorsque tes bras sont au plus haut, relie-toi à l'infiniment grand et dis une troisième fois : « *Père* ».

ACCUEILLIR LES ÉNERGIES DIVINES

La deuxième étape du mouvement permet d'accueillir les énergies divines, de les accompagner à travers tous nos corps subtils, du corps de l'esprit jusqu'au corps physique.

Emplis des énergies du Père, nous pouvons alors répandre sur la terre sa bénédiction afin que tous les êtres puissent recevoir la Lumière.

En descendant doucement les mains, accompagne le flot de Lumière qui vient de l'infini. Imagine la Lumière du Père qui entre dans ta tête et dis :

« *Que ton Nom soit sanctifié.* »

Continue de descendre doucement et consciemment les mains, accompagnant la Lumière jusque dans

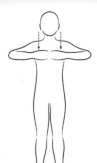

ton cœur. Lorsque tes mains sont à hauteur du cœur, dis : « *Que ton règne vienne.* »

Toujours en descendant les mains, tu accompagnes la Lumière du Père jusque dans ton ventre et dis : « *Que ta volonté soit faite.* »

Tes mains continuent de descendre et finissent par s'écarter, tournées vers la terre. Après avoir accueilli la Lumière du Père en toi, tu la laisses descendre dans tes jambes pour toucher la terre.

En ouvrant les bras, laisse la Lumière se répandre sur toute la terre et dis : « *Sur la terre comme au ciel.* »

LA REMONTÉE VERS LE PÈRE

Après avoir fait descendre à travers soi les énergies du Père, on peut faire remonter toutes les énergies de la Mère pour les faire entrer dans l'infini.

C'est le mouvement inverse du précédent qui permet un équilibrage majeur de tous les règnes en soi.

Accueille la bénédiction de la Mère et fais remonter son énergie par tes pieds, tes jambes en accompagnant le mouvement avec tes mains jusqu'au ventre.

Une fois que tes mains sont à hauteur du ventre, dis :

« *Donne-moi le pain quotidien.* »

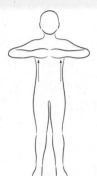

Continue de remonter, doucement et en conscience. En arri-
vant devant le cœur, dis :
« *Pardonne mes offenses.* »

Lorsque tes mains arri-
vent au niveau de la
tête, dis :
« *Ne me soumets pas à la tentation.* »

Parvenues au sommet de
la tête, les deux mains
s'ouvrent vers l'extérieur,
comme si tu ouvrais
un voile et le repous-
sais de chaque côté de
ton corps.
Descends doucement
les bras de chaque
côté, en conscience, et dis :
« *Délivre-moi du mal.* »

MOUVEMENT DE CLÔTURE

Ramène tes bras sur la poitrine, croisés
au niveau du cœur et dis :
« *Amin.* »[1]

EVEIL ET CONSCIENCE

Note qu'il est possible de faire cette
prière en mouvement avec différentes
versions du *Notre Père*. Si tu es habitué à
en utiliser une autre, n'hésite pas à adap-
ter l'exercice à ta propre pratique.

---

1 - Tu peux conserver la prononciation moderne
« Amen» si elle t'es plus familère. Sache cependant que
'Amin' possède une puissance vibratoire plus forte.

L'important est de rechercher l'éveil intérieur, d'accomplir les mouvements en conscience, avec beaucoup de respect pour le sacré. Tu peux faire cette prière en mouvement plusieurs fois à la suite. Il est intéressant de la pratiquer à heure régulière sur une période que l'on s'est fixée, par exemple sept jours, ou vingt et un jours. Les résultats sont beaucoup plus puissants.

L'idéal est bien sûr de l'apprendre directement d'un enseignant essénien, qui saura te transmettre beaucoup plus que des mots.

La prière en mouvement est à la base de la Grande Communion Essénienne du *Notre Père* qui se déroule sur sept jours.

LA GRANDE
COMMUNION ESSÉNIENNE

Les manuscrits de la mer Morte sont les résidus d'immenses bibliothèques que constituaient les Esséniens à l'époque de l'Empire romain. De nombreux rouleaux contenaient des enseignements de nombreuses époques et de différentes origines.

Le Maître Jésus fut une nouvelle incarnation de l'Alliance essénienne. Son enseignement était adapté aux nouveaux besoins des hommes, et c'est dans sa prière secrète qu'il a condensé tout son art pour se relier aux différentes forces et énergies. Les nombreuses méthodes du *Notre Père* pratiquées par les Esséniens d'aujourd'hui permettent de s'harmoniser en se reliant au monde supérieur, au monde des origines (fig. 18).

Des rituels pratiques

Comme la rivière est régénérée par la source, les Esséniens se régénèrent en se reliant au principe divin de leur être. Le *Notre Père* permet de se placer en résonance harmonieuse avec notre structure originelle et ainsi de replacer chaque chose à sa place.

Ce travail se fait tant au niveau de nos corps subtils que des règnes de la nature et du cosmos. Ainsi le ciel, la terre et les mondes intermédiaires vibrent en harmonie (fig. 13). Et l'on peut aussi entrer en contact avec la mémoire

Les sept paroles magiques du Notre Père

Les sept corps subtils, intermédiaires entre le Père et la Mère

Figure 18

Les sept règnes

akashique (énergétique subtile) du Maître Jésus et même avec son aura. Dans les Loges Esséniennes, de nombreux rituels approfondis sont pratiqués. Certains constituent une haute magie théurgiques, d'autres sont plus adaptés à une pratique quotidienne.

Parmi toutes ces méthodes, la Grande Communion Essénienne du *Notre Père* est idéale pour entrer sur le chemin de la pratique. Elle se déroule sur sept jours. Le matin, c'est aux énergies du Père que l'on s'ouvre pour les accueillir jusque sur la terre. Le soir est le moment de la récolte : toutes les bénédictions de la Mère remontent vers le Père.

Découvrir la Grande Communion Essénienne

La Grande Communion Essénienne peut être accomplie seul ou avec des amis, chez soi ou dans la nature. Pouvoir se tenir pieds nus sur le sol au-dessous du ciel peut être plus agréable, mais il est important de ne pas se donner de limites. Il vaut mieux commencer là où l'on est plutôt que d'attendre un moment 'idéal' pour pratiquer.

Il est très important de finir ce que l'on a commencé. Si tu veux commencer cette semaine, organise-toi pour ne pas être interrompu dans ta pratique quotidienne.

Là encore, les Esséniens privilégient la conscience, l'éveil.

Tous les mouvements sont assez lents, doux, emplis de sens, de compréhension, d'intention, de vie. Ainsi ton corps peut entrer en prière et se mettre en résonance avec les mondes divins du Père et de la Mère. Tu pourras aussi entrer en communion avec tous les Esséniens d'aujourd'hui et par là augmenter la force de ta pratique.

N'oublie pas que tout est vivant et que cette méthode ne fait pas exception à la règle. Pratique-la avec respect et gratitude, elle saura t'apporter tous ses bienfaits.

LA GRANDE COMMUNION ESSÉNIENNE EN COULEUR

Chaque règne, chaque corps et chaque étape du *Notre Père* est lié à une couleur de l'arc-en-ciel. Pour chacun des jours de la pratique de la Grande Communion Essénienne, tu peux, si tu le souhaites, te revêtir d'un vêtement de la couleur correspondante, ou simplement un accessoire de cette couleur (une écharpe, un voile...).

Le dimanche sera le jour du violet, couleur du règne des Dieux et du corps de l'esprit.

Le lundi sera le jour de l'indigo, couleur du règne des Archanges et du corps d'âme.

Le mardi sera le jour du bleu, couleur du règne des Anges et du corps de destinée.
Le mercredi sera le jour du vert, couleur du règne des Maîtres et du corps de pensée consciente.
Le jeudi sera le jour du jaune, couleur des animaux et du corps de sentiment.
Le vendredi sera le jour du orange, couleur du règne végétal et du corps de volonté.
Le samedi sera le jour du rouge, couleur du règne minéral et du corps d'action.

OUVERTURE ET FERMETURE DE LA GRANDE COMMUNION

La Grande Communion Essénienne du *Notre Père* est basée sur le mouvement fondamental de la prière présenté au chapitre précédent. Les paroles sont par contre différentes. Le matin, l'ouverture se fait par le mouvement de l'union avec le Père. En élevant les bras jusqu' au plus haut, prononce la parole « *Père* » trois fois, comme indiqué au chapitre dix.

Le soir, l'ouverture se fait par le mouvement de remontée des énergies de la Mère vers le ciel, décrit au chapitre dix.

Le matin comme le soir, la clôture est la dernière étape du mouvement décrit précédemment. En ramenant les bras croisés sur la poitrine, tu prononces le nom magique de la Mère : « *Amin* ».

Entre l'ouverture et la clôture, la pratique change d'un jour à l'autre.

DIMANCHE MATIN

Accomplis le mouvement d'ouverture. Puis, lorsque tes bras sont au plus haut et commencent à descendre, prononce la première parole du *Notre Père* :

« *Que ton Nom soit sanctifié.* »
Lorsque tes mains commencent à passer
le long de ton corps, active ton premier
corps subtil en disant :

« *Par mon corps d'esprit,*
que ton Nom soit sanctifié. »

En ouvrant les mains vers le sol, prononce la parole correspondant au règne
des Dieux :

« *Par le règne des Dieux,*
que ton Nom soit sanctifié. »

Tu peux accomplir ce mouvement plusieurs
fois. Lorsque tu as fini, clôture ton travail
par le mouvement du « *Amin* ».

Dimanche soir

Accomplis le mouve-
ment d'ouverture du soir.
Lorsque tes mains sont ouvertes vers le sol, ramène
tes bras vers toi et pro-

nonce la parole du règne des Dieux :

« *Par le règne des Dieux, ton Nom est sanctifié.* »

Puis, lorsque tes bras arrivent à hauteur de ton ventre et remontent le long de ton corps, prononce la parole qui active ton premier corps subtil :

« *Par mon corps d'esprit,*
je suis ton Nom sanctifié. »

En ouvrant tes bras vers le ciel, prononce la première parole du *Notre Père* :

« *Ton Nom est sanctifié, Père.* »

Tu peux accomplir ce mouvement plusieurs fois. Lorsque tu as fini, clôture ton travail par le mouvement du « *Amin* ».

LUNDI MATIN

Accomplis le mouvement d'ouverture.

Puis, lorsque tes bras sont au plus haut et commencent à descendre, prononce la deuxième parole du *Notre Père* :

« *Que ton règne vienne.* »

Lorsque tes mains commencent à passer le long de ton corps, active ton deuxième corps subtil en disant :

« *Par mon corps d'âme,*
que ton règne vienne. »

En ouvrant les mains vers le sol, prononce la parole correspondant au règne des Archanges :

« *Par le règne des Archanges,*
que ton règne vienne. »

Tu peux accomplir ce mouvement plusieurs fois. Lorsque tu as fini, clôture ton travail par le mouvement du « *Amin* ».

LUNDI SOIR

Accomplis le mouvement d'ouverture du soir. Lorsque tes mains sont ouvertes vers le sol, ramène tes bras vers toi et prononce la parole du règne des Archanges :

> « *Par le règne des Archanges,*
> *ton règne est advenu.* »

Puis, lorsque tes bras arrivent à hauteur de ton ventre et remontent le long de ton corps, prononce la parole qui active ton deuxième corps subtil :

> « *Par mon corps d'âme,*
> *je suis ton règne advenu.* »

En ouvrant tes bras vers le ciel, prononce la deuxième parole du *Notre Père* :

> « *Ton règne est advenu, Père.* »

Tu peux accomplir ce mouvement plusieurs fois. Lorsque tu as fini, clôture ton travail par le mouvement du « *Amin* ».

MARDI MATIN

Accomplis le mouvement d'ouverture. Puis, lorsque tes bras sont au plus haut et commencent à descendre, prononce la troisième parole du *Notre Père* :

« *Que ta volonté soit faite
sur la terre comme au ciel.* »

Lorsque tes mains commencent à passer le long de ton corps, active ton troisième corps subtil en disant :

« *Par mon corps de destinée, que ta volonté
soit faite sur la terre comme au ciel.* »

En ouvrant les mains vers le sol, prononce la parole correspondant au règne des Anges :

« *Par le règne des Anges, que ta volonté soit
faite sur la terre comme au ciel.* »

Tu peux accomplir ce mouvement plusieurs

fois. Lorsque tu as fini, clôture ton travail par le mouvement du « *Amin* ».

MARDI SOIR

 Accomplis le mouve-ment d'ouverture du soir. Lorsque tes mains sont ouvertes vers le sol, ramène tes bras vers toi et prononce la parole du règne des Anges :

« *Par le règne des Anges, ta volonté est réalisée sur la terre comme au ciel.* »

Puis, lorsque tes bras arrivent à hauteur de ton ventre et remontent le long de ton corps, prononce la parole qui active ton troisième corps subtil :

« *Par mon corps de destinée, je suis ta volonté réalisée sur la terre comme au ciel.* »

En ouvrant tes bras vers le ciel, prononce la troisième parole du *Notre Père* :

« *Ta volonté est réalisée*
sur la terre comme au ciel, Père. »
Tu peux accomplir ce mouvement plusieurs fois. Lorsque tu as fini, clôture ton travail par le mouvement du « *Amin* ».

MERCREDI MATIN

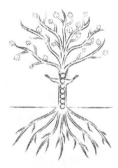

Accomplis le mouvement d'ouverture. Puis, lorsque tes bras sont au plus haut et commencent à descendre, prononce la quatrième parole du *Notre Père* :
« *Donne-moi le pain quotidien.* »
Lorsque tes mains commencent à passer le long de ton corps, active ton quatrième corps subtil en disant :
« *Par mon corps de pensée consciente,*
donne-moi le pain quotidien. »
En ouvrant les mains vers le sol, pro-

nonce la parole correspondant au règne
des Maîtres :

« *Par le règne des Maîtres,*
donne-moi le pain quotidien. »

Tu peux accomplir ce mouvement plusieurs
fois. Lorsque tu as fini, clôture ton travail
par le mouvement du « *Amin* ».

Mercredi soir

Accomplis le mouvement
d'ouverture du soir.
Lorsque tes mains sont
ouvertes vers le sol, ra-
mène tes bras vers toi et
prononce la parole du
règne des Maîtres :

« *Par le règne des Maîtres, je suis le pain de*
vie qui délivre de la mort. »

Puis, lorsque tes bras arrivent à hauteur
de ton ventre et remontent le long de ton
corps, prononce la parole qui active ton

quatrième corps subtil :

« *Par mon corps de pensée consciente, je suis*
le pain de vie qui délivre de la mort. »

En ouvrant tes bras vers le ciel, prononce
la quatrième parole du *Notre Père* :

« *Ton pain de vie délivre de la mort, Père.* »

Tu peux accomplir ce mouvement plusieurs
fois. Lorsque tu as fini, clôture ton travail
par le mouvement du « *Amin* ».

JEUDI MATIN

Accomplis le mouvement
d'ouverture. Puis, lorsque
tes bras sont au plus haut
et commencent à des-
cendre, prononce la cin-
quième parole du *Notre*
Père :

« *Pardonne mes offenses.* »

Lorsque tes mains commencent à passer le long de ton corps, active ton cin-

quième corps subtil en disant :

> *« Par mon corps de sentiment,*
> *pardonne mes offenses. »*

En ouvrant les mains vers le sol, prononce la parole correspondant au règne des Animaux :

> *« Par le règne des Animaux,*
> *pardonne mes offenses. »*

Tu peux accomplir ce mouvement plusieurs fois. Lorsque tu as fini, clôture ton travail par le mouvement du *« Amin »*.

JEUDI SOIR

 Accomplis le mouvement d'ouverture du soir. Lorsque tes mains sont ouvertes vers le sol, ramène tes bras vers toi et prononce la parole du règne des Animaux :

> *« Par le règne des Animaux,*
> *je suis le pardon des offenses. »*

Puis, lorsque tes bras arrivent à hauteur de ton ventre et remontent le long de ton corps, prononce la parole qui active ton cinquième corps subtil :

> « *Par mon corps de sentiment,*
> *je suis le pardon des offenses.* »

En ouvrant tes bras vers le ciel, prononce la cinquième parole du *Notre Père* :

> « *Tu es honoré, Père.* »

Tu peux accomplir ce mouvement plusieurs fois. Lorsque tu as fini, clôture ton travail par le mouvement du « *Amin* ».

VENDREDI MATIN

Accomplis le mouvement d'ouverture. Puis, lorsque tes bras sont au plus haut et commencent à descendre, prononce la sixième parole du *Notre Père* :

> « *Ne me soumets pas à la tentation.* »

Lorsque tes mains commencent à passer le long de ton corps, active ton sixième corps subtil en disant :

> *« Par mon corps de volonté,*
> *ne me soumets pas à la tentation. »*

En ouvrant les mains vers le sol, prononce la parole correspondant au règne des Végétaux :

> *« Par le règne des Végétaux,*
> *ne me soumets pas à la tentation. »*

Tu peux accomplir ce mouvement plusieurs fois. Lorsque tu as fini, clôture ton travail par le mouvement du *« Amin »*.

VENDREDI SOIR

Accomplis le mouvement d'ouverture du soir. Lorsque tes mains sont ouvertes vers le sol, ramène tes bras vers toi et prononce la parole du règne des Végétaux :

« *Par le règne des Végétaux,*
je suis la Lumière qui illumine
toutes les tentations et les conduit vers le but. »
Puis, lorsque tes bras arrivent à hauteur
de ton ventre et remontent le long de ton
corps, prononce la parole qui active ton
sixième corps subtil :

« *Par mon corps de volonté,*
je suis la Lumière qui illumine
toutes les tentations et les conduit vers le but. »
En ouvrant tes bras vers le ciel, prononce
la sixième parole du *Notre Père* :
« *La tentation est conduite vers le but, Père.* »
Tu peux accomplir ce mouvement plusieurs
fois. Lorsque tu as fini, clôture ton travail
par le mouvement du « Amin ».

SAMEDI MATIN

Accomplis le mouvement
d'ouverture. Puis, lorsque
tes bras sont au plus haut

et commencent à descendre, prononce la septième parole du *Notre Père* :

> « *Délivre-moi du mal.* »

Lorsque tes mains commencent à passer le long de ton corps, active ton septième corps subtil en disant :

« *Par mon corps d'action, délivre-moi du mal.* »

En ouvrant les mains vers le sol, prononce la parole correspondant au règne des Minéraux :

> « *Par le règne des Minéraux,*
> *délivre-moi du mal.* »

Tu peux accomplir ce mouvement plusieurs fois. Lorsque tu as fini, clôture ton travail par le mouvement du « *Amin* ».

Samedi soir

Accomplis le mouvement d'ouverture du soir. Lorsque tes mains sont ouvertes vers le sol, ramène tes bras vers toi et prononce la parole du règne des Minéraux :

« Par le règne des Minéraux,
je suis un avec la source et délivre
tous les êtres de la maladie et de la mort. »
Puis, lorsque tes bras arrivent à hauteur
de ton ventre et remontent le long de ton
corps, prononce la parole qui active ton
septième corps subtil :

« Par mon corps d'action,
je suis un avec la Source et délivre
tous les êtres de la maladie et de la mort. »
En ouvrant tes bras vers le ciel, prononce
la septième parole du *Notre Père* :

« Je suis délivré du mal, Père. »
Tu peux accomplir ce mouvement plusieurs
fois. Lorsque tu as fini, clôture ton travail
par le mouvement du « *Amin* ».

Ainsi s'achève un cycle de travail de sept
jours. Tu peux pratiquer cette méthode plusieurs semaines d'affilée. En plus de cette
pratique matin et soir, tu peux pratiquer la
communion de l'heure sans ombre...

L'heure sans ombre

La Grande Communion Essénienne n'est que l'une des nombreuses méthodes d'application de la prière secrète de Jésus. Si tu le souhaites, tu peux y rajouter une étape : en plus de ta pratique du matin et du soir, accomplis à midi le mouvement complet du *Notre Père* décrit au chapitre dix. Midi est l'heure où le soleil est au zénith. C'est l'heure magique sans ombre, l'heure de l'harmonie des mondes.

Tu peux pratiquer la prière en mouvement pour te relier dans la grande paix à tous les règnes, toutes les couleurs. Tous tes corps subtils pourront vibrer en harmonie avec l'univers et toutes les créatures.

C'est une pratique de santé intégrale, comme l'enseignent les Esséniens.

J'espère t'avoir permis d'entrouvrir la porte des mystères de la prière de Jésus.

Si tu veux marcher sur le chemin, rejoins ceux qui la pratiquent.

Ensemble, le voyage sera moins long. Nous pourrons nous entraider aux moments difficiles et partager notre pain et notre eau lorsque nous aurons faim et soif.

Que la paix soit avec toi.

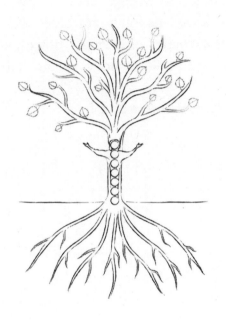

QUESTIONS-RÉPONSES

J'aime me relier au Divin par la prière, mais je préfère trouver mes propres mots. Pourquoi utiliser les mots d'un autre ?

Lorsque tu pries, même intérieurement, tu utilises une langue pour formuler ta prière. Tu n'inventes pas totalement un langage. Tu utilises la langue que tes parents t'ont apprise. Avec cette langue que tu parles, tu peux dire des âneries, des belles paroles vides de sens ou des choses simples et vraies qui honorent ton âme.

La prière secrète de Jésus est un langage, un code, une convention entre notre monde et le monde divin. On peut ne rien en faire, la réciter en étant vide ou l'emplir de sa vie intérieure. A l'intérieur de ce langage, il faut trouver sa liberté, s'individualiser pour pouvoir s'exprimer bellement.

De plus, sache que les Esséniens pratiquent un grand nombre de techniques de prière, et pas seulement l'oraison. Lorsqu'ils pratiquent l'oraison, ils utilisent le *Notre Père* pour entrer dans la pensée, dans l'état d'âme du Maître Jésus, un peu comme un élève violoniste cherche à entrer dans le mouvement de son maître pour fusionner avec son savoir-faire. Ce sont des moments d'apprentissage, d'étude auprès d'un grand Maître de la prière, une recherche constante de l'acte juste. Cela nécessite beaucoup d'humilité, d'ouverture d'esprit et de concentration.

Que tu le veuilles ou non, tu utilises les mots qu'un autre a prononcés avant toi et qu'il t'a transmis. Pourquoi ne pas choisir les mots d'un être qui maîtrise son art et qui peut assurément t'amener vers les hauts sommets de la prière ?

Si Jésus a voulu parler des différents règnes, pourquoi n'en n'aurait-il pas parlé plus clairement ?

Il y a certains passages des Evangiles qui parlent de ces mystères. Il faut simplement avoir l'œil juste pour percevoir le véritable sens de ces paroles que les siècles, les traductions et l'obscurantisme ont énormément déformées. Mais surtout, il faut bien comprendre que les paroles citées dans les Evangiles ne sont que des miettes par rapport à l'enseignement que Jésus a donné. Peux-tu croire qu'un homme comme lui, qui a consacré sa vie à enseigner, n'a dit que si peu de choses ? La découverte des manuscrits de la mer Morte nous a montré à quel point les textes officiels ont été censurés. Et aujourd'hui, seuls de vagues échos de son merveilleux enseignement nous sont parvenus.

Que penses-tu de la pratique du chapelet, qui consiste à répéter le *Notre Père* et le *Je vous salue Marie* ?
Les Esséniens cherchent avant tout l'éveil intérieur. Une répétition de paroles sacrées ne favorise pas l'éveil de la conscience, de la compréhension, une subtilité de la pensée et du sentiment. A vrai dire, je trouve que beaucoup de méthodes de répétition ressemblent à un endormissement forcé de la pensée. La Sagesse essénienne enseigne l'éveil d'autres centres que la pensée (le cœur, la volonté, la conscience...) mais pas au détriment de la pensée elle-même. Je conseille une

récitation assez lente, consciente. L'étude aussi permet de trouver du sens dans des paroles du *Notre Père*, mais elle ne constitue qu'un aspect de la méthode. La dévotion, le rituel, le mouvement sacré, le chant, la méditation... sont autant de chemins complémentaires qui permettent une approche globale de la prière de Jésus.

Je suis très étonné de voir différentes versions du *Notre Père*. Pourquoi ne pas respecter le sacré de la version biblique ? N'est-ce pas une profanation ?

Les différentes versions qu'utilisent les Esséniens ont pour but l'étude, la compréhension et l'éveil. Respecter un être vivant ne veut pas dire le momifier pour le mettre dans une boîte. C'est au contraire lui permettre de vivre, de s'accomplir, de grandir, de ne pas perdre contact avec la vie. Pour les Esséniens, le *Notre Père* est un héritage sacré, fruit de leur Tradition immortelle. En tant que tel, ils ont le devoir de lui donner la vie, de le faire vivre dans leur propre vie. Comment mieux honorer la mémoire du Maître Jésus qu'en cultivant l'amour du savoir pour la seule prière qu'il nous légua ? C'est ce que font les Esséniens en dépoussiérant le *Notre Père* et en permettant à chacun de le pratiquer dans sa vie avec conscience, éveil et amour. Ainsi, il continue de vivre et de grandir.

D'autres Maîtres esséniens viendront après moi je l'espère, pour éclairer d'un jour nouveau l'Enseignement. C'est pour cela d'ailleurs que Jésus a dit : « *Je suis avec vous jusqu'à la fin des temps.* » (Matthieu 28:20) Il parlait de ce mystère de l'incarnation perpétuelle de la sagesse à travers des Maîtres. Vouloir figer les choses, c'est profaner le Divin qui est en elles.

Totassitaqui am quia sundae plabore

POUR ALLER PLUS LOIN

Les secrets contenus dans la prière de Jésus sont innombrables. Si vous voulez approfondir les nombreux points évoqués dans cet ouvrage, écoutez les nombreuses conférences qu'Olivier Manitara a données au fil des années sur ces sujets.

Sur plus de mille titres disponibles, voici ceux qui vous aideront à comprendre la prière secrète de Jésus :

Cosmogonie essénienne
(réf. 20080817)

L'enseignement secret du Christ et la Kabbale
(réf. 20030725)

L'art de devenir un Maître
(réf. 20080224)

La parole perdue des Pharaons
(réf. 20040229)

L'initiation aux 4 corps et à la Mère
(réf. 20090719 DVD)

Elevez votre niveau vibratoire
(réf. 20091122 DVD)

POUR ALLER PLUS LOIN

Retrouver son âme dans la nature
(réf. 20091122 DVD)

Le chemin de libération karmique
(réf. 200806191)

Techniques secrètes de prière
(réf. 20030423)

La guérison du corps et de l'âme dans la thérapie essénienne
(réf. 20090408 DVD)

Le corps du monde divin sur la terre
(réf. 20080809)

Unir sa vie au cosmos pour guérir la terre
(réf. 20090618 DVD)

L'enjeu de 2012, comment s'y préparer
(réf. 20090902)

Au sujet des animaux et des animaux totems consultez ces conférences passionnantes :

Visions chamaniques
(réf. 20021222)

Pourquoi l'homme fait souffrir tous les règnes sur la terre
(réf. 20080919)

POUR ALLER PLUS LOIN

Consultez également ces ouvrages d'Olivier Manitara :

Dieu la Mère

Marie, la Vierge Essénienne

Jésus, la vie quotidienne d'un Maître

Les Esséniens, de Jésus jusqu'à nous...

Joseph, l'autre père de Jésus

Saint Jean l'Essénien

L'enseignement de Jésus l'Essénien

L'Ascension intérieure

Vivre avec les Anges

Le talisman secret des Esséniens

Les livres d'Olivier Manitara sont disponibles en librairie (diffusion Prologue) ou sur internet:

www.Boutique-Essenienne.ca

DEVIENS ÉTUDIANT DE LA SAGESSE UNIVERSELLE

Tu cherches le sens de la vie ?

Tu veux savoir ce que tu viens faire sur la terre ?

Tu veux comprendre ce qu'est le monde divin,
qui vit dans ce monde, et comment y avoir accès ?

Tu veux connaître la réalité sur le monde des hommes pour pouvoir déjouer tous les pièges qui te font recommencer les mêmes erreurs d'année en année, de vie en vie ?

Tu veux expérimenter le vrai sens de la Mère nature, de la Mère universelle pour pouvoir vivre avec elle et recevoir sa bénédiction et son amour ?

La Sagesse essénienne te transmettra le savoir qui fera de toi un être éclairé et conscient. Elle te donnera les moyens de réellement comprendre, connaître et expérimenter la vie.

Tous ces sujets sur lesquels tu te questionnes sont développés dans les cours par correspondance d'Olivier Manitara.

«La vie est une grande Ecole
de sagesse et d'apprentissage.
Aucun être dans l'univers
n'est en dehors de cette Ecole
car toute chose porte une sagesse cachée.
Tout est intelligent, tout est vivant.»

o manitara

Editions Essénia

a/a Eric Moncoucut
345 Chemin Brochu,
Cookshire, J0B 1M0, Canada
514 303 0663
editionsessenia@gmail.com
wwwEditionsEssenia.com

ACADÉMIE ESSENIA

345 chemin Brochu
Cookshire J0B 1M0
Québec, Canada
Tel. 819 875 3316
Courrriel : quebec@academie-essenia.org

COURS, CONFÉRENCES, STAGES ET FORMATIONS
SUR LA PRIÈRE SECRÈTE DE JÉSUS

L'Académie Essenia propose des activités
pour faire connaître et approfondir
l'enseignement essénien du Notre Père.

Suzette Kurtness est notre
conférencière spécialisée.

Elle peut se rendre partout
au Québec sur demande pour
animer des formations ou
donner des conférences.

Suzette Kurtness,
Conférencière agréée

Faites découvrir les secrets
merveilleux de la prière de
Jésus à ceux que vous aimez.

N'hésitez pas à nous contacter pour organiser
une soirée inoubliable près de chez vous.

PRÉSENTE SES SOIRÉES DÉCOUVERTE

Tous les vendredis, l'Institut Essenia de Montréal vous accueille pour une soirée-conférence sur les thèmes :

- Au coeur du sacré : dans le secret d'une Loge Essénienne
- La santé par les Quatre Eléments : introduction aux Thérapies Esséniennes
- Les 22 Mouvements d'Energie : un taï-chi Essénien

Un moment chaleureux et instructif, une porte ouverte sur l'univers merveilleux des Esséniens.
Découvrez également les soins esséniens, la cure essénienne des Quatre Eléments, les consultations individuelles...

Pour de plus amples informations, ou contactez-nous ou demandez notre dépliant.

Essenia Institut,
a/a Nicole Dubé
9269, Lajeunesse, Montréal (QC) Canada, H2M 1S3
514-759-3019
info@institutessenia.com • www.esseniainstitut.com

Pour tout renseignement
sur la Ronde des Archanges,
contactez la Fondation Essenia :
Enseignements exclusifs, Newsletter,
Téléchargements, Extraits audio et vidéo
gratuits, Actualités, Rencontres...

Rendez-vous sur le site
des Esséniens d'Aujourd'hui

www.Olivier Manitara.org